Amigurumi
Divertidos proyectos de crochet

MARÍA BALLARÍN

LIBSA

Contenido

© 2015, Editorial LIBSA
C/ San Rafael, 4
28108 Alcobendas (Madrid)
Tel.: 91 657 25 80
Fax: 91 657 25 83
e-mail:libsa@libsa.es
www.libsa.es

COLABORACIÓN EN TEXTOS: María Ballarín
y equipo editorial Libsa
EDICIÓN: equipo editorial Libsa
DISEÑO DE CUBIERTA: equipo de diseño Libsa
MAQUETACIÓN: equipo de maquetación Libsa
IMÁGENES:
Thinkstock, Shutterstock Images,
123 RF y archivo Libsa

ISBN: 978-84-662-2936-4

DL: M 12586 -2014

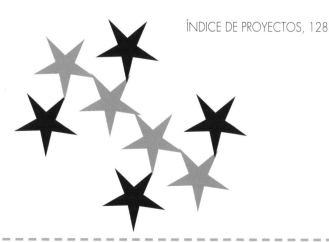

Presentación

Confeccionar amigurumis o muñequitos de crochet no es un simple hobby o pasatiempo. Es una manera de mostrar, a través de una figurita, una determinada estética, pero también, y sobre todo, un regalo en el que añadimos lo mejor de nuestros sentimientos. Un amigurumi es una expresión de simpatía y ternura única que muestra a quien lo recibe nuestro interés y cariño al regalarle algo que hemos construido con nuestras manos, con paciencia y afecto.

Cuando alguien nos regala un amigurumi podemos colocarlo decorando una habitación o dárselo a nuestros hijos para que jueguen con él, pero indudablemente, ese muñequito nos hará brotar una sonrisa y sacar de nuestro interior el niño que todos llevamos dentro.

Esta es la función principal del amigurumi: recuperar la infancia perdida. Por eso, cada amigurumi tiene su propia alma, va acompañado de la complicidad y amistad de quien lo ha fabricado y en cierto modo, es un amuleto personal que puede acompañarnos siempre, en casa o en la oficina.

Tocarlo o abrazarlo reduce el estrés, mirarlo nos recuerda lo importantes que somos para quienes nos quieren y hacerlos nos aleja del ruido y la velocidad diarias.

Quien desee poseer este tesoro, puede dejarse llevar por las páginas de este libro, en el que vamos a encontrar:

- Todos los materiales necesarios para la realización de amigurumis.
- Técnicas para tejer, incluyendo los puntos básicos en crochet.
- Claves para leer patrones simbólicos de amigurumi.
- Más de 25 proyectos explicados paso a paso.

Introducción

¿QUÉ ES EL AMIGURUMI?

Cuando hablamos de amigurumi, nos referimos a una técnica específica de ganchillo o crochet en la que se tejen figuritas, generalmente de animalitos, que resultan tan tiernos y adorables como para convertirse en una encantadora mascota. Esta técnica procede de Japón, donde existe una tendencia o tradición que llaman *Kawaii*, que podría traducirse como «bonito», «encantador» o «lindo». Es un poso cultural que impregna cualquier faceta, desde la moda o la comida, hasta los juguetes o los hábitos de vida personales. De este modo, cualquiera, en cualquier situación, puede permitirse un pequeño y frívolo capricho aniñado. Dentro de esta corriente *Kawaii*, los amigurumis imitan a los dibujos animados japoneses de animales que poseen un cuerpo más bien pequeño y una cabeza más grande, con enormes ojos y expresión inocente. Lo más popular es hacer animalitos y muñecos, pero en realidad, podemos tejer cualquier figurita, como frutas y verduras, huevos, pelotas o pequeños objetos de juguete. Lo gracioso del amigurumi es que se otorga «vida» a cualquier objeto, de manera que una simple pelotita, pero con ojos y un rostro expresivo, se convierte en algo irresistible por la simpatía que emana.

Tejer un amigurumi no es complejo. Hay que aprender algunas técnicas que veremos después, como iniciar la labor con un **anillo mágico**, continuar tejiendo en **cadeneta** y formar piezas que después coseremos entre sí y rellenaremos con guata. El trabajo del amigurumi siempre se inicia en espiral, porque es la mejor manera de evitar las antiestéticas costuras. Prácticamente, todos los muñecos parten de un círculo o de un óvalo al que se van dando vueltas de crochet aumentando y disminuyendo hasta formar la figura deseada. Se hacen todas las piezas por separado y después se unen. Los detalles como los ojos, la boca, etc. admiten otros materiales y son los que pueden otorgar personalidad a nuestra figurita.

LOS MATERIALES

Para iniciarse en el mundo del amigurumi no es necesario gastarse grandes cantidades de dinero ni buscar extraños artilugios. Básicamente, vamos a necesitar una **aguja** y **lana**. Pero, como en todo, hay algunos conceptos y trucos que debemos saber de antemano.

LA AGUJA, CROCHET O GANCHILLO

La primera norma es saber que la **aguja** de ganchillo debe elegirse en función del **grosor** de la lana que se vaya a usar. Es decir, los milímetros del ganchillo y de la lana, deben ser más o menos equivalentes.

Normalmente, para hacer amigurumis, trabajaremos con una aguja de ganchillo algo más pequeña que la lana que vayamos a utilizar. En cuanto al material del ganchillo, los de acero se usan solo para medidas pequeñas (hasta 2 mm), mientras que los de aluminio y los de plástico, que suelen ser de divertidos colores, admiten más grosores y al ser un material más ligero, se manipulan mejor. Existen ganchillos más exóticos, como los fabricados en bambú, y también algunos que combinan varios materiales, como un mango de plástico de color y un gancho de aluminio. Lo importante es que el ganchillo que usemos nos resulte cómodo, resbale bien y se ajuste al grosor de la lana.

LA LANA

Los ovillos de lana vienen etiquetados con una serie de instrucciones de uso que hacen más sencillo el ajuste del ganchillo a cada lana. Generalmente, indican en milímetros el diámetro del gancho de la aguja con la que se debe trabajar. No obstante, en Estados Unidos, Reino Unido y Canadá las medidas son diferentes al resto del mundo, por lo que hay que tenerlo en cuenta a la hora de ponerse a trabajar. Para hacer amigurumi se suele usar en torno a 3 mm, aunque es una elección libre y en todo caso, hay que elegir primero la lana y después seleccionar el ganchillo más adecuado para ella, dejándonos aconsejar por los profesionales de las mercerías o por las

instrucciones del patrón. Existen todo tipo de **lanas**, las hay **naturales** o **sintéticas** y también de **algodón**. Este último, el algodón, suele ser el material preferido para hacer amigurumis, ya que cuenta con una gama de colores más alegres y variados, aunque las lanas con más pelo también cuentan con sus adeptos, ya que ofrecen calidez y blandura.

OTROS MATERIALES

- **Aguja lanera o tapicera:** se trata de una aguja especial con la punta roma que se usa para coser unas piezas a otras. Las que tienen una forma curvada suelen ser más prácticas.

- **Marcadores de puntos:** son pequeños ganchos o arandelas metálicas o de plástico que sirven para saber dónde empieza o acaba cada vuelta. Se pueden adquirir en mercerías especializadas o construir de forma casera, usando por ejemplo imperdibles.

- **Cuentavueltas:** como su propio nombre indica, sirve para saber cuántas vueltas llevamos hechas y funciona parecido a un ábaco.

- **Relleno:** para que nuestros muñequitos sean blandos y adquieran volumen, hay que rellenarlos con guata del mismo tipo del que se usa para los cojines y almohadas. Por supuesto, se pueden rellenar con otros materiales, como telas viejas, y hay incluso quien usa legumbres o arroz para añadirle peso, sobre todo cuando se desea que tomen una postura en concreto (de pie, sentado, etc.).

- **Adornos:** los ojos y adornos de cada muñequito pueden hacerse con botones, trozos de tela, abalorios o cualquier otro material que se nos ocurra. Es útil contar con una base de botones, abalorios y tela de fieltro para estos menesteres. Si vamos a hacer amigurumis para niños o bebés, hay que adquirir «ojos de seguridad», que son unos abalorios específicos para poner ojos a los muñecos, que llevan un tope trasero a presión que impide que puedan salirse y ser ingeridos por los pequeños. Para colocar el resto de los accesorios, se pueden coser y también usar pegamentos específicos para tela.

Además es necesario contar con materiales típicos de costura, como las TIJERAS, METRO DE COSTURA, HILO Y AGUJA PARA COSER Y ALFILERES.

PUNTOS BÁSICOS PARA HACER AMIGURUMI

En crochet, siempre se teje de derecha a izquierda y siempre se comienza tejiendo una hilera de cadenas. Para hacer amigurumi, hay que preparar una base circular, por eso hay que aprender a hacer lo que se conoce como anillo o círculo mágico. Cada tipo de punto tiene uno o varios nombres (además, añadimos el nombre en inglés para tener acceso a los patrones internacionales), una abreviatura y un símbolo que hay que aprenderse para poder leer los patrones (ver pág. 17).

Comencemos explicando paso a paso el punto básico de cadena y el trabajo circular con el anillo mágico y después, podemos consultar el esquema que se adjunta al final con los nombres, sus símbolos y abreviaturas.

Aunque en este libro presentamos los proyectos detallados y explicados paso a paso, normalmente los patrones para hacer cualquier amigurumi se presentan con la figura plana o el dibujo esquemático hecho con todos los símbolos de los puntos que deben hacerse y una vez familiarizados con el sistema, su comprensión no reviste ninguna dificultad.

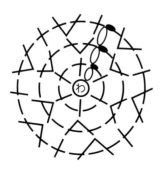

ANILLO O CÍRCULO MÁGICO (*MAGIC RING*)

Con este punto es como se comienza cualquier trabajo. Como casi todos los patrones de amigurumi son trabajos circulares, es muy útil comenzar haciendo un anillo que va aumentando de diámetro hasta encontrar el más adecuado para cada proyecto.

Por eso, es recomendable comenzar con patrones circulares muy sencillos y pasar a los complicados cuando se tenga algo más de experiencia. Estos son los pasos de un anillo mágico:

- Comenzamos envolviendo el dedo índice de la mano izquierda con lana, haciendo una especie de rulo sobre el dedo (1). A continuación, sacamos el rulo del dedo, pero sujetándolo para que mantenga la forma y no se deshaga (2).

- Introducimos el anillo en la aguja y desde ahí, hacemos otra lazada y la pasamos por la lazada que teníamos en la aguja, así queda hecha la primera cadena para sujetar el anillo (3-4).

- Para seguir tejiendo en redondo a partir de la anilla, hay que hacer punto de cadena para subir y después seguir tejiendo a medio punto hasta completar la primera vuelta (5-12). Antes de cerrar esa vuelta, debemos pasar los extremos de las dos hebras del anillo y tirar, cerrando al final con un punto enano.

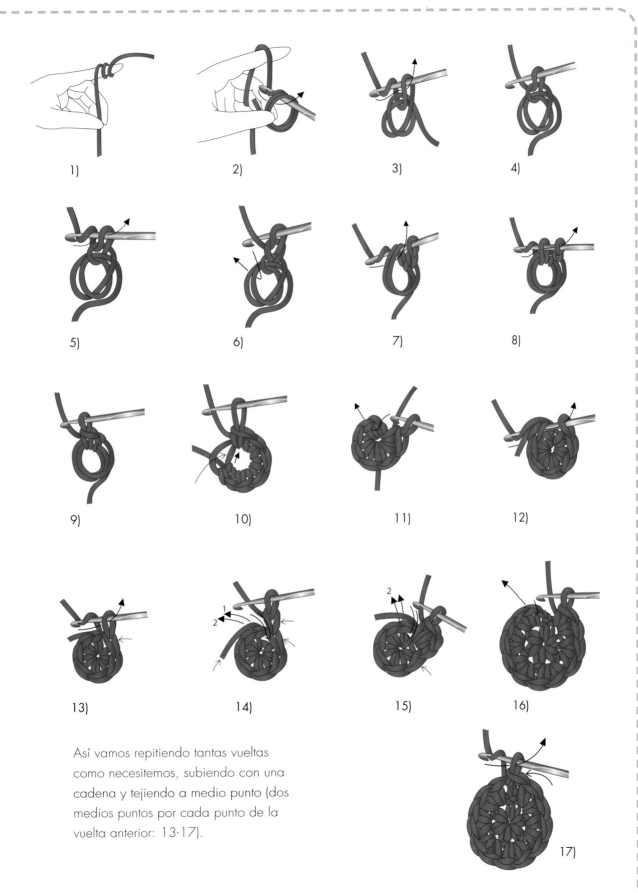

1)

2)

3)

4)

5)

6)

7)

8)

9)

10)

11)

12)

13)

14)

15)

16)

Así vamos repitiendo tantas vueltas como necesitemos, subiendo con una cadena y tejiendo a medio punto (dos medios puntos por cada punto de la vuelta anterior: 13-17).

17)

Punto de cadena o cadeneta (*CHAIN*)

Este es el punto básico en cualquier técnica de crochet. Se comienza haciendo un nudo sobre la varilla, se toma una lazada, se pasa por el nudo y se continúa del mismo modo una y otra vez hasta obtener la cadeneta (1-5).

Existen dos tipos de puntos de cadena: la cadena base y la cadena que sube. La cadena base es sobre la que se teje y la de subida es la que va dando altura a la labor. Dependiendo de cuántas cadenas hagamos, tendremos distintos puntos, ya que la mayor parte de los puntos de crochet son combinaciones del punto de cadena: el medio punto es el que sube con una cadena; la media vareta, sube con dos cadenas, la vareta sube con tres; la vareta doble, con cuatro y la vareta triple con cinco.

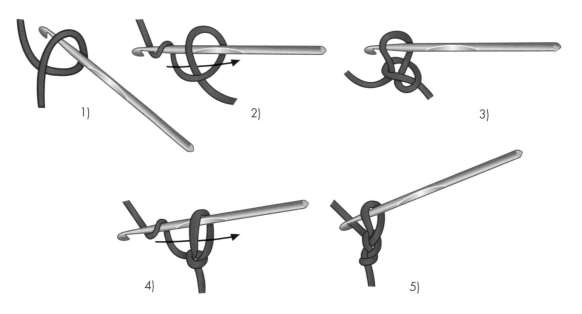

1)   2)   3)

4)   5)

Punto enano o deslizado (*SLIP STITCH*)

Con este punto no se da ninguna altura y se pueden unir o rematar proyectos y también reforzar los bordes. Para hacerlo, se pica con la aguja en el punto base (1), se toma la hebra y se pasa por los dos puntos (2). Repitiendo el proceso, obtenemos una cadena y avanzamos sin añadir altura (3).

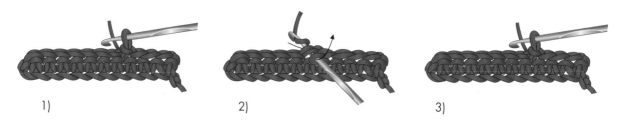

1)   2)   3)

Medio punto o punto bajo (*SINGLE CROCHET*)

Es el que usa una cadena para subir. En este caso, hay que meter la aguja en el siguiente agujero del punto de la vuelta anterior (1) y sacar la hebra por el agujero (2). De este modo, quedan dos lazadas en la aguja (3), así que solo queda pasar la hebra lazada entre las dos. Así sucesivamente (4).

Punto medio alto o media vareta (*HALF DOUBLE CROCHET*)

Se usa para subir con dos cadenas. Tomamos hebra y pasamos la aguja por el punto base. Tomamos hebra de nuevo y la sacamos por el punto base (1), de manera que nos quedan tres lazadas en la aguja (2). Tomamos hebra otra vez y pasamos por las tres lazadas de la aguja (3-4).

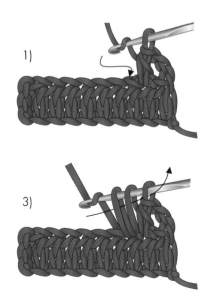

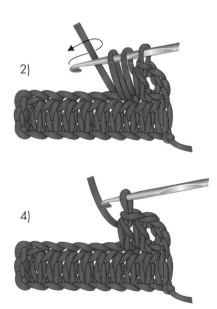

Punto alto o punto vareta (DOUBLE CROCHET)

Se usa para subir con tres cadenas.
Tomamos hebra, pasamos la aguja por el punto base (1). Tomamos hebra y la pasamos por las dos primeras lazadas (2). Tomamos hebra y la pasamos por las dos lazadas que quedan (3 y 4).

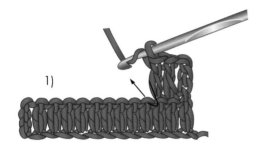

1)

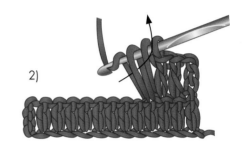

2)

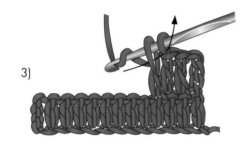

3)

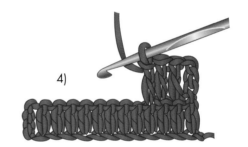

4)

Otros puntos y técnicas
Hacer aumentos

Para hacerlos, simplemente hay que tejer dos puntos en el mismo punto. Allá donde queramos aumentar, tejeremos un punto y después meteremos la aguja en el mismo punto formando un aumento (1-3).

1)

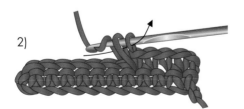

2)

3)

Hacer disminuciones

Cuando se trabaja en figuras circulares, hay que ir aumentando el diámetro y luego, disminuirlo para ir cerrando el proyecto. Disminuimos cerrando dos puntos como si fueran uno solo. Para ello, metemos la aguja por detrás del punto (1), después la metemos en el siguiente punto, tomamos hebra y cerramos (2-4).

1)

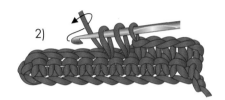

2)

3)

4)

Punto de cangrejo

Se utiliza mucho para dejar los bordes bien cerrados. Para hacerlo, comenzamos por insertar la aguja sobre la base de puntos, justo en el primer punto hacia la derecha. Tomamos hebra y la pasamos por este punto. De este modo, quedan en la aguja dos lazadas que hay que atravesar.

Puntos más complejos

Hemos visto los puntos básicos para trabajar en crochet, pero en las técnicas de ganchillo existen otros muchos tipos de puntos, a veces de realización compleja, con los que dotar de otros relieves, formas y texturas un trabajo. No los vamos a explicar aquí porque no suelen usarse en los trabajos de amigurumi, aunque si algún aficionado desea profundizar, puede buscar información especializada. Se trata de puntos como la vareta triple y cuádruple, el medio punto retorcido, el medio punto canalé, y puntos de acabados decorativos que pueden tener muchas variedades, como el punto piña, el punto arrollado, el punto mota, el crochet filet, el nudo de Salomón, el punto abanico, el punto de red o el punto picot.

Técnica de jacquard

Se utiliza para crear diseños con cambios de color, como por ejemplo, tejer haciendo cuadritos de colores, rayas o cualquier otro dibujo. Se hace usando el medio punto y constantes cambios de color, de los que resulta que siempre que estemos tejiendo de un determinado color, por dentro queda de otro color diferente. Para hacerlo, no hay que cerrar el último punto con la lana que se esté empleando, sino introducir allí mismo una hebra de otro color y cerrar el punto bajo con ella. Entonces se continúa trabajando con el hilo del color nuevo llevando junto a él la hebra que queda del anterior.

Cuándo rellenar y decorar

Normalmente, los patrones indican cuándo se debe colocar el relleno y cuándo hay que añadir elementos decorativos para poner el pelo, los ojos, la nariz, etc. El único consejo que se puede dar realmente si no viene indicado en el patrón es que hay que hacerlo cuando aún se puede trabajar con comodidad, porque si esperamos a que el muñeco esté casi terminado, es muy probable que ya no podamos hacerlo y tengamos que deshacer la labor. Para colocar los rasgos de la cara, lo más normal es hacerlo cuando se han trabajado ya como dos tercios de la cabeza, aunque puede haber excepciones, sobre todo cuando se trata de bordados, en los que muchas veces se cose cuando ya está completamente terminado.

RECUADRO DE NOMBRES, SÍMBOLOS Y ABREVIATURAS DE PUNTOS BÁSICOS

NOMBRE (ESPAÑOL/*INGLÉS*)	SÍMBOLO	ABREVIATURAS (ESPAÑOL/*INGLÉS*)
Anillo mágico / *magic ring*	O	
Punto de cadena / *chain*	O	cad-pc-c/ *ch*
Medio punto o punto bajo /*single crochet*	+X	pb-mp / *sc*
Punto enano, deslizado o raso / *slip stich*	●	pd / *ss-sl-st*
Punto medio alto o media vareta / *half double crochet*	T	pma-mpa / *hdc*
Punto alto o punto vareta / *double crochet*	Ŧ	pa / *dc*
Aumentos / *increase*	^	aum / *inc*
Disminuciones / *decrease*	v	dism / *dec-2 tog*

Los proyectos

Ahora que ya hemos repasado las técnicas básicas, es hora de adentrarse en el pequeño zoológico que hemos diseñado. Ositos, gatos, conejitos, elefantes… Figuritas como bolitas de Navidad, frutas y verduras de juguete o huevos de Pascua y hasta un juego de pelotas malabares nos están esperando al volver la página.

Por tanto, preparemos todos los materiales y empecemos.

Perrito dulce

Si el perro es el mejor amigo del hombre desde tiempo inmemorial,
este adorable cachorrito decididamente femenino puede acompañar a su dueña
y convertirse en su amuleto protector. Los tonos suaves y el lazo de
raso lo convierten en un precioso objeto decorativo y su rostro, con una
dulce sonrisa, otorga paz a quien lo observa.

CABEZA

Usar color blanco

Vuelta 1: hacer un anillo mágico de 6 puntos bajos (6 puntos).

Vuelta 2: 1 aumento en todos los puntos bajos de la vuelta anterior (12 puntos).

Vuelta 3: 1 punto bajo, 1 aumento. Repetir hasta el final de la vuelta (18 puntos).

Vuelta 4: 2 puntos bajos, 1 aumento. Repetir hasta el final de la vuelta (24 puntos).

Vuelta 5: 3 puntos bajos, 1 aumento. Repetir hasta el final de la vuelta (30 puntos).

Vueltas 6 a 11: 1 punto bajo en todos los puntos de la vuelta anterior (30 puntos).

Vuelta 12: 3 puntos bajos, 1 disminución. Repetir hasta el final de la vuelta (24 puntos).

Vuelta 13: 2 puntos bajos, 1 disminución. Repetir hasta el final de la vuelta (18 puntos).

Vuelta 14: 1 punto bajo, 1 disminución. Repetir hasta el final de la vuelta (12 puntos).

Colocar los ojos de seguridad y rellenar con algodón sintético.

Vuelta 15: 6 disminuciones. Cerrar el tejido cosiendo con aguja lanera.

Podemos coser con hilo negro las cejas y la expresión de la boca.

CUERPO

Usar color blanco

Vuelta 1: hacer un anillo mágico de 6 puntos bajos (6 puntos).

Vuelta 2: 1 aumento en todos los puntos bajos de la vuelta anterior (12 puntos).

Vuelta 3: 1 punto bajo, 1 aumento. Repetir hasta el final de la vuelta (18 puntos).

Vuelta 4: 2 puntos bajos, 1 aumento. Repetir hasta el final de la vuelta (24 puntos).

Vuelta 5: tejer la vuelta tomado el bucle de atrás de la cadeneta (24 puntos).

Materiales

Hilo de algodón o lana de color: blanco y morado • Aguja de ganchillo un poco más delgada que el grosor de la lana • Marcador de vueltas • Tijeras • Algodón sintético • Aguja lanera • Ojos y nariz de seguridad negros • Hilo negro • Cinta de color fucsia para el lazo

La mariposa de fieltro adornada con abalorios y una caracola es fácil de hacer usando tijeras, pegamento y un alambre.

Vuelta 6: 1 punto bajo en todos los puntos de la vuelta anterior (24 puntos).

Vuelta 7: 3 puntos bajos, 1 aumento. Repetir hasta el final de la vuelta (30 puntos).

Vuelta 8: 4 puntos bajos, 1 aumento. Repetir hasta el final de la vuelta (36 puntos).

Vueltas 9 a 11: 1 punto bajo en todos los puntos de la vuelta anterior (36 puntos).

Vuelta 12: 4 puntos, 1 disminución. Repetir hasta el final de la vuelta (30 puntos).

Vueltas 13-14: 1 punto bajo en todos los puntos de la vuelta anterior (30 puntos).

Vuelta 15: 3 puntos bajos, 1 disminución. Repetir hasta el final de la vuelta (24 puntos).

Vuelta 16: 1 punto bajo en todos los puntos de la vuelta anterior (24 puntos).

Vuelta 17: 2 puntos bajos, 1 disminución. Repetir hasta el final de la vuelta (18 puntos).

Vuelta 18: 1 punto bajo en todos los puntos de la vuelta anterior (18 puntos).

Vuelta 19: 1 punto bajo, 1 disminución. Repetir hasta el final de la vuelta (12 puntos).

Rellenar con algodón sintético.
Vuelta 20: 6 disminuciones.

Cerrar el tejido y dejar una hebra para coser la cabeza.

PIERNAS
Hacer dos iguales
Usar color morado
Vuelta 1: hacer un anillo mágico de 6 puntos bajos (6 puntos).
Vuelta 2: 1 aumento, 1 punto bajo. Repetir hasta el final de la vuelta (9 puntos).

Vuelta 3: tejer la vuelta tomado el bucle de atrás de la cadeneta (9 puntos).

Vuelta 4: 1 punto bajo en todos los puntos de la vuelta anterior (9 puntos).

Usar color blanco

Vueltas 5 a 7: 1 punto bajo en todos los puntos de la vuelta anterior (9).

Cerrar el tejido y dejar una hebra para coser al cuerpo.

Rellenar con algodón sintético.

Brazos

Hacer dos iguales. Usar color blanco

Vuelta 1: hacer un anillo mágico de 6 puntos bajos (6 puntos).

Vuelta 2: 1 punto bajo, 1 aumento Repetir hasta el final de la vuelta (9 puntos).

Vueltas 3 a 6: 1 punto bajo en todos los puntos de la vuelta anterior (9 puntos).

Cerrar y dejar una hebra para coser al cuerpo. Rellenar con algodón sintético.

Orejas

Hacer dos iguales

Usar color morado

Vuelta 1: Hacer una cadeneta de hasta 10 puntos.

Vuelta 2: 1 punto bajo en la segunda cadeneta, 8 puntos bajos, 1 aumento en la última cadeneta. 1 cadeneta. Giramos el tejido y trabajamos por el otro lado de la cadeneta. 8 puntos bajos, 2 puntos bajos en la última cadeneta y cerrar con un punto deslizado.

Vuelta 3: 1 aumento en el primer punto, 8 puntos bajos, 1 aumento (3 veces), hacemos una cadeneta y giramos el tejido. 1 aumento en el siguiente punto, 8 puntos bajos, 1 aumento (3 veces). Cerrar con un punto deslizado.

Vuelta 4: 1 aumento en el primer punto, 9 puntos bajos, 1 aumento (2 veces), 2 puntos bajos, 1 aumento en el siguiente punto, hacemos una cadeneta y giramos el tejido. 1 aumento en el siguiente punto, 9 puntos bajos, 1 aumento (2 veces), 2 puntos bajos, 1 aumento. Cerrar con un punto deslizado.

Vuelta 5: una vuelta en punto cangrejo alrededor de la oreja.

Cerrar el tejido y dejar una hebra larga de para coser las orejas a la cabeza.

Conejo de Pascua

⬤ ⬤ ⬤ ⬤

A medio camino entre un huevo y un conejito, esta figura está concebida para ser regalada durante las fiestas de la Pascua. Se puede tejer en cualquier color y deliberadamente no le hemos cosido una boca, porque así la expresión de su rostro resulta mucho más ingenua.

CABEZA

Vuelta 1: hacer un anillo mágico de 6 puntos bajos (6 puntos).

Vuelta 2: 1 aumento en todos los puntos bajos de la vuelta anterior (12 puntos).

Vuelta 3: 1 punto bajo, 1 aumento. Repetir hasta el final de la vuelta (18 puntos).

Vuelta 4: 2 puntos bajos, 1 aumento. Repetir hasta el final de la vuelta (24 puntos).

Vuelta 5: 3 puntos bajos, 1 aumento. Repetir hasta el final de la vuelta (30 puntos).

Vueltas 6 a 15: 1 punto bajo en todos los puntos de la vuelta anterior (30 puntos).

Vuelta 16: 3 puntos bajos, 1 disminución. Repetir hasta el final de la vuelta (24 puntos).

Vuelta 17: 2 puntos bajos, 1 disminución. Repetir hasta el final de la vuelta (18 puntos).

La flor y el lazo morado se han añadido y atado a las orejas para que resulte, en sí mismo, un pequeño regalo, aunque sin ningún aderezo ya es precioso.

Materiales

Hilo de algodón o lana de color verde o rosa • Aguja de ganchillo un poco más delgada que el grosor de la lana • Marcador de vueltas • Tijeras • Algodón sintético • Aguja lanera • Ojos de seguridad • Fieltro negro • Pegamento • Cinta morada

Vuelta 18: 1 punto bajo, 1 disminución. Repetir hasta el final de la vuelta (12 puntos).

Poner ojos de seguridad y rellenar con algodón sintético.

Vuelta 19: 6 disminuciones y cerrar el tejido.

OREJAS

Hacer dos iguales

Vuelta 1: hacer un anillo mágico de 5 puntos bajos (5 puntos).

Vuelta 2: 1 aumento en todos los puntos bajos de la vuelta anterior (10 puntos).

Vueltas 3 a 17: 1 punto bajo en todos los puntos de la vuelta anterior (10 puntos).

Vuelta 18: 1 punto bajo, 1 disminución. Repetir hasta el final de la vuelta (7 puntos).

Vueltas 19 y 20: 1 punto bajo en todos los puntos de la vuelta anterior (7 puntos).

Terminar la vuelta y dejar una hebra larga para coser al cuerpo.

PATAS

Vuelta 1: hacer un anillo mágico de 5 puntos bajos (5 puntos).

Vuelta 2: 1 aumento en todos los puntos bajos de la vuelta anterior (10 puntos).

Vueltas 3 a 9: 1 punto bajo en todos los puntos de la vuelta anterior (10 puntos).

Vuelta 10: 1 punto bajo, 1 disminución. Repetir hasta el final de la vuelta (7 puntos).

Terminar la vuelta y dejar una hebra larga para coser al cuerpo.

DECORACIÓN

Podemos pegar un pequeño triángulo de fieltro negro a modo de nariz o simplemente coserla con un hilo oscuro de contraste.

Es una idea verdaderamente simpática tejer una figurita de distinto color para cada miembro de la familia y presentarlas en hueveras en la bandeja del desayuno para recibir la festividad de la Pascua.

La base del amigurumi para estos huevitos de Pascua es la misma que las del proyecto anterior, pero los colores tierra y el grosor de la lana le dan un aspecto más artesanal. Añadirle abalorios para los detalles de los ojos y la nariz, junto con la rafia y la lana del bigote cambian por completo el resultado de uno de los diseños más básicos de esta técnica japonesa.

Pollitos

La perfecta combinación para el conejito de Pascua con forma de huevo son estos pollitos tan sencillos y esquemáticos que pueden ser confeccionados por un principiante. El color amarillo nos ha parecido demasiado evidente y hemos seleccionado un tono morado más rompedor, aunque el estilo es siempre libre. Su forma genérica ovalada aderezada por dos alitas convierte esta figurita básica en un clásico del encanto infantil.

CABEZA

Vuelta 1: hacer un anillo mágico de 6 puntos bajos (6 puntos).

Vuelta 2: 1 aumento en todos los puntos bajos de la vuelta anterior (12 puntos).

Vuelta 3: 1 punto bajo, 1 aumento. Repetir hasta el final de la vuelta (18 puntos).

Vuelta 4: 2 puntos bajos, 1 aumento. Repetir hasta el final de la vuelta (24 puntos).

Vuelta 5: 3 puntos bajos, 1 aumento. Repetir hasta el final de la vuelta (30 puntos).

Vueltas 6 a 15: 1 punto bajo en todos los puntos de la vuelta anterior (30 puntos).

Vuelta 16: 3 puntos bajos, 1 disminución. Repetir hasta el final de la vuelta (24 puntos).

Vuelta 17: 2 puntos bajos, 1 disminución. Repetir hasta el final de la vuelta (18 puntos).

Vuelta 18: 1 punto bajo, 1 disminución. Repetir hasta el final de la vuelta (12 puntos).

Poner ojos de seguridad.

Rellenar con algodón sintético.

Vuelta 19: 6 disminuciones y cerrar el tejido. Podemos coser o pegar un triángulo de fieltro rojo bajo los ojos a modo de pico o bien bordarlo.

ALAS

Hacer dos iguales

Vuelta 1: hacer un anillo mágico de 4 puntos bajos (4 puntos).

Vuelta 2: 1 aumento en todos los puntos bajos de la vuelta anterior (8 puntos).

Vueltas 3 a 7: 1 punto bajo en todos los puntos de la vuelta anterior (8 puntos).

Terminar la vuelta y dejar una hebra larga para coser al cuerpo.

Materiales

Hilo de algodón o lana de color morado • Aguja de ganchillo un poco más delgada que el grosor de la lana • Marcador de vueltas • Tijeras • Algodón sintético • Aguja lanera • Ojos de seguridad • Fieltro rojo • Pegamento

Conejito feliz

Este personaje universalmente conocido es la expresión de la ilusión infantil. Al modo de Papá Noel, este simpático conejito lleva los huevos de chocolate, dulces y chucherías a los niños. Es un encantador amigurumi que puede servir como atrezo especial durante la festividad de la Pascua o estar escondido junto a los huevos en los jardines y servir como sorpresa especial en ese día maravilloso.

CABEZA

Usar color verde

Vuelta 1: hacer un anillo mágico de 6 puntos bajos (6 puntos).

Vuelta 2: 1 aumento en todos los puntos bajos de la vuelta anterior (12 puntos).

Vuelta 3: 1 punto bajo, 1 aumento. Repetir hasta el final de la vuelta (18 puntos).

Vuelta 4: 2 puntos bajos, 1 aumento. Repetir hasta el final de la vuelta (24 puntos).

Vuelta 5: 3 puntos bajos, 1 aumento. Repetir hasta el final de la vuelta (30 puntos).

Vuelta 6: 4 puntos bajos, 1 aumento. Repetir hasta el final de la vuelta (36 puntos).

Vueltas 7 a 15: 1 punto bajo en todos los puntos de la vuelta anterior (36 puntos).

Vuelta 16: 4 puntos bajos, 1 disminución. Repetir hasta el final de la vuelta (30 puntos).

Vuelta 17: 1 punto bajo en todos los puntos de la vuelta anterior (30 puntos).

Vuelta 18: 3 puntos bajos, 1 disminución. Repetir hasta el final de la vuelta (24 puntos).

Vuelta 19: 1 punto bajo en todos los puntos de la vuelta anterior (24 puntos).

Vuelta 20: 2 puntos bajos, 1 disminución. Repetir hasta el final de la vuelta (18 puntos).

Vuelta 21: 1 punto bajo en todos los puntos de la vuelta anterior (18 puntos).

Vuelta 22: 1 punto bajo, 1 disminución. Repetir hasta el final de la vuelta (12 puntos).

Rellenar con algodón sintético.

Vuelta 23: 6 disminuciones. Cerrar el tejido.

Con color rojo en el centro del anillo mágico, pinchar y hacer la nariz.

CUERPO

Vuelta 1: hacer un anillo mágico de 6 puntos bajos (6 puntos).

Vuelta 2: 1 aumento en todos los puntos bajos de la vuelta anterior (12 puntos).

Vuelta 3: 1 punto bajo, 1 aumento. Repetir hasta el final de la vuelta (18 puntos).

Materiales

Hilo de algodón o lana de color: verde, naranja, roja y negro •
Aguja de ganchillo un poco más delgada que el grosor de la lana
• Marcador de vueltas • Tijeras • Algodón sintético • Aguja
lanera • Lazo de organza verde claro

Vuelta 4: 2 puntos bajos, 1 aumento. Repetir hasta el final de la vuelta (24 puntos).

Vuelta 5: 3 puntos bajos, 1 aumento. Repetir hasta el final de la vuelta (30 puntos).

Vueltas 6 a 11: 1 punto bajo en todos los puntos de la vuelta anterior (30 puntos).

Vuelta 12: 3 puntos bajos, 1 disminución. Repetir hasta el final de la vuelta (24 puntos).

Vueltas 13 a 16: 1 punto bajo en todos los puntos de la vuelta anterior (24 puntos).

Vuelta 17: 2 puntos bajos, 1 disminución. Repetir hasta el final de la vuelta (18 puntos).

Vueltas 18 a 20: 1 punto bajo en todos los puntos de la vuelta anterior (18 puntos).

Vuelta 21: 1 punto bajo, 1 disminución. Repetir hasta el final de la vuelta (12 puntos).

Vuelta 22: 1 punto bajo en todos los puntos de la vuelta anterior (12 puntos).

Vuelta 23: 6 disminuciones.

Rellenar con algodón sintético y cerrar tejido.

BRAZOS

Hacer dos iguales

Vuelta 1: hacer un anillo mágico de 6 puntos bajos (6 puntos).

Vuelta 2: 1 aumento en todos los puntos bajos de la vuelta anterior (12 puntos).

Vuelta 3: 1 punto bajo, 1 aumento. Repetir hasta el final de la vuelta (18 puntos).

Vueltas 4 a 6: 1 punto bajo en todos los puntos de la vuelta anterior (18 puntos).

Vuelta 7: 4 puntos bajos, 1 disminución. Repetir hasta el final de la vuelta (15 puntos).

Vuelta 8: 1 punto bajo en todos los puntos de la vuelta anterior (15 puntos).

Vuelta 9: 3 puntos bajos, 1 disminución. Repetir hasta el final de la vuelta (12 puntos).

Vuelta 10: 1 punto bajo en todos los puntos de la vuelta anterior (12 puntos).

Rellenar con algodón sintético.

Vuelta 11: 6 disminuciones.

Cerrar el tejido y dejar hebra para coser al cuerpo.

PATAS

Hacer dos iguales

Vuelta 1: hacer un anillo mágico de 6 puntos bajos (6 puntos).

Vuelta 2: 1 aumento en todos los puntos bajos de la vuelta anterior (12 puntos).

Vuelta 3: 1 punto bajo, 1 aumento. Repetir hasta el final de la vuelta (18 puntos).

Vuelta 4: 2 puntos bajos, 1 aumento. Repetir hasta el final de la vuelta (24 puntos).

Vueltas 5 y 6: 1 punto bajo en todos los puntos de la vuelta anterior (24 puntos).

Vuelta 7: 5 puntos bajos, 1 disminución. Repetir hasta el final de la vuelta (21 puntos).

Vuelta 8: 1 punto bajo en todos los puntos de la vuelta anterior (21 puntos).

Vuelta 9: 4 puntos bajos, 1 disminución. Repetir hasta el final de la vuelta (18 puntos).

Vuelta 10: 1 punto bajo en todos los puntos de la vuelta anterior (18 puntos).

Vuelta 11: 3 puntos bajos, 1 disminución. Repetir hasta el final de la vuelta (12 puntos).

Vuelta 12: 1 punto bajo en todos los puntos de la vuelta anterior (12 puntos).

Rellenar con algodón sintético.

Vuelta 13: 6 disminuciones.

Cerrar y dejar hebra para coser al cuerpo.

OREJAS

Hacer dos iguales

Vuelta 1: hacer un anillo mágico de 5 puntos bajos (5 puntos).

Vuelta 2: 1 aumento en todos los puntos bajos de la vuelta anterior (10 puntos).

Vueltas 3 a 9: 1 punto bajo en todos los puntos de la vuelta anterior (10 puntos).

Vuelta 10: 1 punto bajo, 1 disminución. Repetir hasta el final de la vuelta (7 puntos).

Vueltas 11 y 12: 1 punto bajo en todos los puntos de la vuelta anterior (7 puntos).

Usar color naranja: hacer 10 cadenetas, luego tejer dos vueltas de punto bajo. Coser a la oreja para formar la parte interna.

Para decorar el conejito colocamos el lazo de organza en el cuello lo más artísticamente que se pueda.

Bolas de Navidad

Cambiar el aspecto de las bolas de Navidad clásicas para decorar el árbol, los pomos de las puertas o cualquier otro lugar, de una forma mucho más original, es sencillo con estas bolas navideñas de crochet, que además se pueden personalizar cambiando los colores y decoraciones que se proponen por otros que se ajusten más a nuestro propio estilo.

BOLA ROJA Y BLANCA

Usar color rojo

Vuelta 1: hacer un anillo mágico de 6 puntos bajos (6 puntos).

Vuelta 2: 1 aumento en todos los puntos bajos de la vuelta anterior (12 puntos).

Vuelta 3: 1 punto bajo, 1 aumento. Repetir hasta el final de la vuelta (18 puntos).

Vuelta 4: 2 puntos bajos, 1 aumento. Repetir hasta el final de la vuelta (24 puntos).

Vuelta 5: 3 puntos bajos, 1 aumento. Repetir hasta el final de la vuelta (30 puntos).

Vuelta 6: 4 puntos bajos, 1 aumento. Repetir hasta el final de la vuelta (36 puntos).

Vuelta 7: 5 puntos bajos, 1 aumento. Repetir hasta el final de la vuelta (42 puntos).

Vuelta 8: 6 puntos bajos, 1 aumento. Repetir hasta el final de la vuelta (48 puntos). En este paso, metemos dentro la bola y continuamos tejiendo porque, de lo contrario, luego no será posible hacerlo.

Vuelta 9: 1 punto bajo en todos los puntos de la vuelta anterior (48 puntos).

Usar color blanco

Vueltas 10 a 18: 1 punto bajo en todos los puntos de la vuelta anterior (48 puntos).

Usar color rojo

Vuelta 19: 6 puntos bajos, 1 disminución. Repetir hasta el final de la vuelta (42 puntos).

Vuelta 20: 5 puntos bajos, 1 disminución. Repetir hasta el final de la vuelta (36 puntos).

Usar color blanco

Vuelta 21: 4 puntos bajos, 1 disminución. Repetir hasta el final de la vuelta (30 puntos).

Usar color rojo

Vuelta 22: 3 puntos bajos, 1 disminución. Repetir hasta el final de la vuelta (24 puntos).

Vuelta 23: 2 puntos bajos, 1 disminución. Repetir hasta el final de la vuelta (18 puntos).

Materiales

- Hilo de algodón o lana de diferentes colores: rojo, blanco, verde, naranja, azul, etc.
- Aguja de ganchillo un poco más delgada que el grosor de la lana
- Marcador de vueltas
- Tijeras
- Aguja lanera
- Bolas de Navidad

Vuelta 24: 1 punto bajo, 1 disminución. Repetir hasta el final de la vuelta (12 puntos).

La abertura que queda es para que se vea la parte superior de la bola de Navidad. Cerrar el tejido.

BOLA VERDE, AMARILLA Y NARANJA
Usar color verde

Vuelta 1: hacer un anillo mágico de 6 puntos bajos (6 puntos).

Vuelta 2: 1 aumento en todos los puntos bajos de la vuelta anterior (12 puntos).

Vuelta 3: 1 punto bajo, 1 aumento. Repetir hasta el final de la vuelta (18 puntos).

Vuelta 4: 2 puntos bajos, 1 aumento. Repetir hasta el final de la vuelta (24 puntos).

Vuelta 5: 3 puntos bajos, 1 aumento. Repetir hasta el final de la vuelta (30 puntos).

Vuelta 6: 4 puntos bajos, 1 aumento. Repetir hasta el final de la vuelta (36 puntos).

Vuelta 7: 5 puntos bajos, 1 aumento. Repetir hasta el final de la vuelta (42 puntos).

Usar color naranja

Vuelta 8: 6 puntos bajos, 1 aumento. Repetir hasta el final de la vuelta (48 puntos). En este momento metemos la bola de Navidad y continuamos tejiendo.

Vuelta 9: 1 punto bajo en todos los puntos de la vuelta anterior (48 puntos).

Usar color amarillo

Vueltas 10 y 11: 1 punto bajo en todos los puntos de la vuelta anterior (48 puntos).

Usar color naranja

Vueltas 12 y 13: 1 punto bajo en todos los puntos de la vuelta anterior (48 puntos).

Usar color verde

Vueltas 14 a 18: 1 punto bajo en todos los puntos de la vuelta anterior (48 puntos).

Vuelta 19: 6 puntos bajos, 1 disminución. Repetir hasta el final de la vuelta (42 puntos).

Vuelta 20: 5 puntos bajos, 1 disminución. Repetir hasta el final de la vuelta (36 puntos).

Vuelta 21: 4 puntos bajos, 1 disminución. Repetir hasta el final de la vuelta (30 puntos).

Vuelta 22: 3 puntos bajos, 1 disminución. Repetir hasta el final de la vuelta (24 puntos).

Vuelta 23: 2 puntos bajos, 1 disminución. Repetir hasta el final de la vuelta (18 puntos).

Vuelta 24: 1 punto bajo, 1 disminución. Repetir hasta el final de la vuelta (12 puntos).

Cerrar el tejido.

BOLA VERDE Y NARANJA

Usar color verde

Vuelta 1: hacer un anillo mágico de 6 puntos bajos (6 puntos) (El número de aumentos depende de lo grande que sea la bola, por lo que debemos probar la base antes de continuar. Estas medidas son para una bola de 15 cm aproximadamente).

Vuelta 2: 1 aumento en todos los puntos bajos de la vuelta anterior (12 puntos).

Vuelta 3: 1 punto bajo, 1 aumento. Repetir hasta el final de la vuelta (18 puntos).

Vuelta 4: 2 puntos bajos, 1 aumento. Repetir hasta el final de la vuelta (24 puntos).

Vuelta 5: 3 puntos bajos, 1 aumento. Repetir hasta el final de la vuelta (30 puntos).

Vuelta 6: 4 puntos bajos, 1 aumento. Repetir hasta el final de la vuelta (36 puntos).

Vuelta 7: 5 puntos bajos, 1 aumento. Repetir hasta el final de la vuelta (42 puntos).

Vuelta 8: 6 puntos bajos, 1 aumento. Repetir hasta el final de la vuelta (48 puntos). Aquí metemos la bola de Navidad y continuamos tejiendo.

Vuelta 9: 1 punto bajo en todos los puntos de la vuelta anterior (48 puntos).

Usar color naranja

Vueltas 10 a 18: 1 punto bajo en todos los puntos de la vuelta anterior (48 puntos).

Usar color verde

Vuelta 19: 6 puntos bajos, 1 disminución. Repetir hasta el final de la vuelta (42 puntos).

Vuelta 20: 5 puntos bajos, 1 disminución. Repetir hasta el final de la vuelta (36 puntos).

Vuelta 21: 4 puntos bajos, 1 disminución. Repetir hasta el final de la vuelta (30 puntos).

Vuelta 22: 3 puntos bajos, 1 disminución. Repetir hasta el final de la vuelta (24 puntos).

Vuelta 23: 2 puntos bajos, 1 disminución. Repetir hasta el final de la vuelta (18 puntos).

Vuelta 24: 1 punto bajo, 1 disminución. Repetir hasta el final de la vuelta (12 puntos).

Cerrar el tejido.

Árbol de Navidad

El espíritu navideño se renueva con estos adornos de amigurumi diseñados para alegrar la casa y llenarla con los colores simbólicos de la Navidad: el verde y el rojo. Estos pequeños pinos que pueden colgarse del mismo árbol o colocarse como una guirnalda o un adorno simple, son mucho más sencillos de hacer de lo que aparentan, tan solo hay que vigilar el marcador de vueltas y los cambios de color con cierta disciplina para obtener un resultado profesional.

ÁRBOL

Usar color verde

Vuelta 1: hacer un anillo mágico de 6 puntos bajos (6 puntos).

Vuelta 2: 1 aumento en todos los puntos bajos de la vuelta anterior (12 puntos).

Vuelta 3: 1 punto bajo, 1 aumento. Repetir hasta el final de la vuelta (18 puntos).

Usar el color rojo

Vuelta 4: 2 puntos bajos, 1 aumento. Repetir hasta el final de la vuelta (24 puntos).

Vuelta 5: 3 puntos bajos, 1 aumento. Repetir hasta el final de la vuelta (30 puntos).

Vuelta 6: tejer la vuelta tomando el bucle de atrás de la cadeneta (30 puntos).

Vuelta 7: 1 punto bajo en todos los puntos de la vuelta anterior (30 puntos).

Usar el color verde

Vuelta 8: 1 punto bajo en todos los puntos de la vuelta anterior (30 puntos).

Usar el color rojo

Vuelta 9: 1 punto bajo en todos los puntos de la vuelta anterior (30 puntos).

Materiales

Hilo de algodón o lana de color: verde, rojo y blanco • Aguja de ganchillo un poco más delgada que el grosor de la lana • Marcador de vueltas • Tijeras • Algodón sintético • Aguja lanera • Lentejuelas de color rojo • Cinta de color roja para el lazo

Para decorar el árbol se pueden usar, también, botones pequeños de color rojo, lacitos estrechos de seda o cualquier otro abalorio.

Usar el color rojo

Vuelta 13: 1 punto bajo en todos los puntos de la vuelta anterior (30 puntos).

Usar el color verde

Vuelta 14: 5 puntos bajos, 1 disminución. Repetimos hasta el final de la vuelta (26 puntos).

Vuelta 15: 1 punto bajo en todos los puntos de la vuelta anterior (26 puntos).

Usar el color blanco

Vuelta 16: 4 puntos bajos, 1 disminución. Repetir hasta el final de la vuelta (22 puntos).

Usar el color verde

Vuelta 17: 1 punto bajo en todos los puntos de la vuelta anterior (22 puntos).

Vuelta 18: 3 puntos bajos, 1 disminución. Repetir hasta el final de la vuelta (18 puntos).

Usar el color blanco

Vuelta 19: 1 punto bajo en todos los puntos de la vuelta anterior (18 puntos).

Vuelta 20: 2 puntos bajos, 1 disminución. Repetir hasta el final de la vuelta (12 puntos).

Rellenar con algodón sintético.

Usar el color verde

Vuelta 10: 1 punto bajo en todos los puntos de la vuelta anterior (30 puntos).

Usar el color rojo

Vuelta 11: 1 punto bajo en todos los puntos de la vuelta anterior (30 puntos).

Usar el color verde

Vuelta 12: 1 punto bajo en todos los puntos de la vuelta anterior (30 puntos).

Usar el color verde

Vuelta 21: 1 punto bajo en todos los puntos de la vuelta anterior (12 puntos).

Usar el color blanco

Vuelta 22: 1 punto bajo, 1 disminución. Repetir hasta el final de la vuelta (8 puntos).

Usar el color verde

Vuelta 23: 1 punto bajo en todos los puntos de la vuelta anterior (8 puntos).

Vuelta 24: 1 punto bajo, 1 disminución. Repetir hasta el final de la vuelta (4 puntos).

Cerrar tejido.

TRONCO

Usar color verde

Vuelta 1: tejer cuatro cadenetas y unir formando un anillo.

Vuelta 2: tejer 6 puntos bajos en el anillo (6 puntos).

Vueltas 3 y 4: 1 punto bajo en todos los puntos de la vuelta anterior (6 puntos).

Cerrar y coser a la base del árbol.

DECORACIÓN

Pasar la cinta por la punta del árbol y hacer el moño.

Decorar con las lentejuelas o botones de color rojo pegándolos o cosiéndolos de forma aleatoria.

Para expertos en las técnicas más complejas de ganchillo, este arbolito de Navidad está construido con la técnica del punto grano de maíz y resulta tan divertido y original como el amigurumi anterior. ▶

Hombrecito de nieve

●●●●

Este muñeco de nieve es una recreación en lana del amigurumi básico.
En el paso a paso damos las pautas para realizar este muñeco dentro
de la técnica japonesa. Está formado con bolas de distinto tamaño, es muy
sencillo de hacer, pero también muy resultón. Este icono del invierno puede
decorarse como más nos guste: añadiendo bufanda y sombrero, usando
botones de fantasía o variando los colores de la lana para amoldarse
a los gustos de su nuevo dueño.

CABEZA

Usar color blanco

Vuelta 1: hacer un anillo mágico de 6 puntos bajos (6 puntos).

Vuelta 2: 1 aumento en todos los puntos bajos de la vuelta anterior (12 puntos).

Vuelta 3: 1 punto bajo, 1 aumento. Repetir hasta el final de la vuelta (18 puntos).

Vuelta 4: 2 puntos bajos, 1 aumento. Repetir hasta el final de la vuelta (24 puntos).

Vuelta 5: 3 puntos bajos, 1 aumento. Repetir hasta el final de la vuelta (30 puntos).

Vueltas 6 a 11: 1 punto bajo en todos los puntos de la vuelta anterior (30 puntos).

Vuelta 12: 3 puntos bajos, 1 disminución. Repetir hasta el final de la vuelta (24 puntos).

Vuelta 13: 2 puntos bajos, 1 disminución. Repetir hasta el final de la vuelta (18 puntos).

Vuelta 14: 1 punto bajo, 1 disminución. Repetir hasta el final de la vuelta (12 puntos).

Rellenar con algodón sintético.

Vuelta 15: 6 disminuciones.

Cerrar el tejido y dejar una hebra para coser la cabeza al cuerpo.

CUERPO

Usar color blanco

Vuelta 1: hacer un anillo mágico de 6 puntos bajos (6 puntos).

Vuelta 2: 1 aumento en todos los puntos bajos de la vuelta anterior (12 puntos).

Vuelta 3: 1 punto bajo, 1 aumento. Repetir hasta el final de la vuelta (18 puntos).

Vuelta 4: 2 puntos bajos, 1 aumento. Repetir hasta el final de la vuelta (24 puntos).

Vuelta 5: 3 puntos bajos, 1 aumento. Repetir hasta el final de la vuelta (30 puntos).

Vuelta 6: 4 puntos bajos, 1 aumento. Repetir hasta el final de la vuelta (36 puntos).

Materiales

Para la cabeza y el cuerpo: hilo de algodón o lana de color blanco

Para la nariz: hilo de algodón o lana de color naranja o lana afieltrada naranja

Para la bufanda y el gorro: hilo de algodón o lana de diferentes colores: blanco, rojo azul, amarillo, rosa, malva, naranja, etc.

- Aguja de ganchillo un poco más delgada que el grosor de la lana
- Marcador de vueltas
- Tijeras
- Algodón sintético
- Aguja lanera
- Dos botones con forma de estrella
- Fieltro negro
- Pegamento

Vuelta 7: 5 puntos bajos, 1 aumento. Repetir hasta el final de la vuelta (42 puntos).

Vuelta 8: 6 puntos bajos, 1 aumento. Repetir hasta el final de la vuelta (48 puntos).

Vueltas 9 a 18: 1 punto bajo en todos los puntos de la vuelta anterior (48 puntos).

Vuelta 19: 6 puntos bajos, 1 disminución. Repetir hasta el final de la vuelta (42 puntos).

Vuelta 20: 5 puntos bajos, 1 disminución. Repetir hasta el final de la vuelta (36 puntos).

Vuelta 21: 4 puntos bajos, 1 disminución. Repetir hasta el final de la vuelta (30 puntos).

Vuelta 22: 3 puntos bajos, 1 disminución. Repetir hasta el final de la vuelta (24 puntos).

Vuelta 23: 2 puntos bajos, 1 disminución. Repetir hasta el final de la vuelta (18 puntos).

Vuelta 24: 1 punto bajo, 1 disminución. Repetir hasta el final de la vuelta (12 puntos).

Rellenar con algodón sintético.

Vuelta 25: 6 disminuciones.

Cerrar el tejido y coser la cabeza al cuerpo.

Esta simpatiquísima idea puede hacerse también con un muñeco de nieve que va «creciendo» en la maceta. Tan solo hay que ir descubriendo en proyecto de amigurumi paso a paso.

GORRO

Aquí se pueden mezclar los colores, ya sea siguiendo el dibujo del libro o usando restos de lanas de los colores que tengamos.

Vuelta 1: tejer 24 cadenetas y unir formando un círculo, teniendo cuidado de no torcer la cadeneta.

Vuelta 2: tejer un punto bajo en cada cadeneta. Unir con un punto deslizado y poner el marcador de vueltas (24 puntos).

Vueltas 3 a 14: 1 punto bajo en todos los puntos de la vuelta anterior (24 puntos).

Cerrar tejido con un hilo del color que queramos atar la parte superior.

BUFANDA

1. Tejer 5 cadenetas.
2. Tejer un punto bajo en cada cadeneta (5 puntos).

Hacer 35 vueltas aproximadamente, alternado los colores cada 5 vueltas.

Nariz

Vuelta 1: hacer un anillo mágico de 6 puntos bajos (6 puntos).

Vuelta 2: 1 aumento en todos los puntos bajos de la vuelta anterior (12 puntos).

Vueltas 3 y 4: 1 punto bajo en todos los puntos de la vuelta anterior (12).

Vuelta 5: 1 punto bajo, 1 disminución. Repetir hasta el final de la vuelta (8 puntos).

Vuelta 6: 1 punto bajo en todos los puntos de la vuelta anterior (8 puntos).

Vuelta: 7: 1 punto bajo, 1 disminución. Repetir hasta el final de la vuelta (4 puntos).

Vuelta 8: 1 punto bajo en todos los puntos de la vuelta anterior (4 puntos).

Cerrar el tejido y coser la nariz a la cabeza. La nariz también puede hacerse afieltrando con aguja lana naranja hasta que tome la forma y pegándola a la cabeza.

Coser con hilo rojo la línea de la boca y pegar dos pequeños círculos de fieltro negro a modo de ojos. Coser los botones de estrella al cuerpo.

Gatito elegante

Tiene el aspecto de un gatito común, casi callejero, pero al mismo tiempo es un minino encantador, al que dan ganas de abrazar. Hemos elegido el tono naranja y crudo propio de esta especie animal, aunque la pajarita morada le da un toque muy divertido y de contraste de color.

CABEZA

Usar color naranja

Vuelta 1: hacer un anillo mágico de 6 puntos bajos (6 puntos).

Vuelta 2: 1 aumento en todos los puntos bajos de la vuelta anterior (12 puntos).

Vuelta 3: 1 punto bajo, 1 aumento. Repetir hasta el final de la vuelta (18 puntos).

Vuelta 4: 2 puntos bajos, 1 aumento. Repetir hasta el final de la vuelta (24 puntos).

Vuelta 5: 3 puntos bajos, 1 aumento. Repetir hasta el final de la vuelta (30 puntos).

Vuelta 6: 4 puntos bajos, 1 aumento. Repetir hasta el final de la vuelta (36 puntos).

Vuelta 7: 5 puntos bajos, 1 aumento. Repetir hasta el final de la vuelta (42 puntos).

Vuelta 8: 6 puntos bajos, 1 aumento. Repetir hasta el final de la vuelta (48 puntos).

Vueltas 9 a 15: 1 punto bajo en todos los puntos de la vuelta anterior (48 puntos).

Vuelta 16: 6 puntos bajos, 1 disminución. Repetir hasta el final de la vuelta (42 puntos).

Vuelta 17: 5 puntos bajos, 1 disminución. Repetir hasta el final de la vuelta (36 puntos).

Vuelta 18: 4 puntos bajos, 1 disminución. Repetir hasta el final de la vuelta (30 puntos).

Vuelta 19: 3 puntos bajos, 1 disminución. Repetir hasta el final de la vuelta (24 puntos).

Vuelta 20: 2 puntos bajos, 1 disminución. Repetir hasta el final de la vuelta (18 puntos).

Vuelta 21: 1 punto bajo, 1 disminución. Repetir hasta el final de la vuelta (12 puntos).

Rellenar con algodón sintético.

Vuelta 22: 6 disminuciones.

Cerrar el tejido y dejar una hebra larga para coser la cabeza al cuerpo.

CUERPO

Vuelta 1: hacer un anillo mágico de 6 puntos bajos (6 puntos).

Vuelta 2: 1 aumento en todos los puntos bajos de la vuelta anterior (12 puntos).

Materiales

Hilo de algodón o lana de color naranja y crudo • Algunas hebras de hilo encerado de color negro para los bigotes • Aguja de ganchillo un poco más delgada que el grosor de la lana • Marcador de vueltas • Tijeras • Algodón sintético • Aguja lanera • Ojos de seguridad • Fieltro rosa • Pegamento • Lacito morado

La pajarita de nuestro Señor Don Gato puede hacerse pintando de morado un lacito de pasta o con un abalorio de esa forma.

Vuelta 3: 1 punto bajo, 1 aumento. Repetir hasta el final de la vuelta (18 puntos).

Vuelta 4: 2 puntos bajos, 1 aumento. Repetir hasta el final de la vuelta (24 puntos).

Vuelta 5: 3 puntos bajos, 1 aumento. Repetir hasta el final de la vuelta (30 puntos).

Vuelta 6: 4 puntos bajos, 1 aumento. Repetir hasta el final de la vuelta (36 puntos).

Vueltas 7 a 23: 1 punto bajo en todos los puntos de la vuelta anterior (36 puntos).

Vuelta 24: 4 puntos bajos, 1 disminución. Repetir hasta el final de la vuelta (30 puntos).

Vuelta 25: 3 puntos bajos, 1 disminución. Repetir hasta el final de la vuelta (24 puntos).

Vueltas 26 y 27: 1 punto bajo en todos los puntos de la vuelta anterior (24 puntos).

Vuelta 28: 2 puntos bajos, 1 disminución. Repetir hasta el final de la vuelta (18 puntos).

Vueltas 29 y 30: 1 punto bajo en todos los puntos de la vuelta anterior (18 puntos).

Vuelta 31: 1 punto bajo, 1 disminución. Repetir hasta el final de la vuelta (12 puntos).

Rellenar con algodón sintético.

Vuelta 32: 6 disminuciones. Cerrar el tejido.

BRAZOS

Hacer dos iguales

Usar color naranja

Vuelta 1: hacer un anillo mágico de 6 puntos bajos (6 puntos).

Vuelta 2: 1 aumento en todos los puntos bajos de la vuelta anterior (12 puntos).

Vueltas 3 a 6: 1 punto bajo en todos los puntos de la vuelta anterior (12 puntos).

Vuelta 7: 2 puntos bajos, 1 disminución. Repetir hasta el final de la vuelta (9 puntos).

Usar color crudo

Vueltas 8 a 28: 1 punto bajo en todos los puntos de la vuelta anterior (9 puntos).

Rellenar con algodón sintético. Cerrar el tejido y dejar una hebra larga para coser al cuerpo.

PIERNAS

Hacer dos iguales

Usar color naranja

Vuelta 1: hacer un anillo mágico de 6 puntos bajos (6 puntos).

Vuelta 2: 1 aumento en todos los puntos bajos de la vuelta anterior (12 puntos).

Vuelta 3: 3 puntos bajos, 1 aumento. Repetir hasta el final de la vuelta (15 puntos).

Vueltas 4 a 7: 1 punto bajo en todos los puntos de la vuelta anterior (15 puntos).

Vuelta 8: 1 punto bajo, 1 disminución. Repetir hasta el final de la vuelta (10 puntos).

Vueltas 9 a 24: 1 punto bajo en todos los puntos de la vuelta anterior (10 puntos).

Rellenar con algodón sintético. Cerrar el tejido y dejar una hebra larga para coser al cuerpo.

OREJAS

Hacer dos iguales

Usar color naranja

Vuelta 1: hacer un anillo mágico de 4 puntos bajos (4 puntos).

Vuelta 2: 1 aumento en todos los puntos bajos de la vuelta anterior (8 puntos).

Vuelta 3: 3 puntos bajos, 1 aumento. Repetir hasta el final de la vuelta (10 puntos).

Vuelta 4: 4 puntos bajos, 1 aumento. Repetir hasta el final de la vuelta (12 puntos).

Vuelta 5: 4 puntos bajos, 1 aumento. Repetir hasta el final de la vuelta (14 puntos).

Terminar la vuelta y dejar una hebra larga para coser las orejas a la cabeza.

MORRITO

Usar color crudo

Vuelta 1: hacer un anillo mágico de 7 puntos bajos (7 puntos).

Vuelta 2: 1 aumento en todos los puntos bajos de la vuelta anterior (14 puntos).

Vueltas 3 a 10: 1 punto bajo en todos los puntos de la vuelta anterior (14 puntos).

Rellenar con algodón sintético.

Vuelta 11: 7 disminuciones.

Vuelta 12: 3 disminuciones y cerrar. Dejar una hebra larga para coser al la cabeza.

Pegar un triángulo de fieltro rosa a modo de nariz.

COLA

Usar color crudo

Vuelta 1: hacer un anillo mágico de 6 puntos bajos (6 puntos).

Vuelta 2: 1 aumento en todos los puntos bajos de la vuelta anterior (12 puntos).

Vueltas 3 a 22: 1 punto bajo en todos los puntos de la vuelta anterior (12 puntos).

Terminar la vuelta y dejar una hebra larga para coser al cuerpo.

Pelotas malabares

Para hacer malabares debemos tejer al menos tres pelotas.
Las llamadas «beanbags» son pelotitas rellenas de semillas (generalmente,
de arroz), que tienen cierto peso, pero resulta fácil manipularlas.
Hacerlas con amigurumi y dotarlas además de una graciosa expresividad
es toda una idea para personalizar nuestro juego y son tan sencillas de
confeccionar que seguro que vamos a regalar más de una.

PELOTA

Vuelta 1: hacer un anillo mágico de 6 puntos bajos (6 puntos).

Vuelta 2: 1 aumento en todos los puntos bajos de la vuelta anterior (12 puntos).

Vuelta 3: 1 punto bajo, 1 aumento. Repetir hasta el final de la vuelta (18 puntos).

Vuelta 4: 2 puntos bajos, 1 aumento. Repetir hasta el final de la vuelta (24 puntos).

Vuelta 5: 3 puntos bajos, 1 aumento. Repetir hasta el final de la vuelta (30 puntos).

Vuelta 6: 4 puntos bajos, 1 aumento. Repetir hasta el final de la vuelta (36 puntos).

Vuelta 7: 5 puntos bajos, 1 aumento. Repetir hasta el final de la vuelta (42 puntos).

Vuelta 8: 6 puntos bajos, 1 aumento. Repetir hasta el final de la vuelta (48 puntos).

Vueltas 9 a 15: 1 punto bajo en todos los puntos de la vuelta anterior (48 puntos).

Vuelta 16: 6 puntos bajos, 1 disminución. Repetir hasta el final de la vuelta (42 puntos).

Materiales

Hilo de algodón o lana de diferentes colores • Aguja de ganchillo un poco más delgada que el grosor de la lana • Marcador de vueltas • Tijeras • Algodón sintético • Aguja lanera • Hilo negro

Vuelta 17: 5 puntos bajos, 1 disminución. Repetir hasta el final de la vuelta (36 puntos).

Vuelta 18: 4 puntos bajos, 1 disminución. Repetir hasta el final de la vuelta (30 puntos).

Vuelta 19: 3 puntos bajos, 1 disminución. Repetir hasta el final de la vuelta (24 puntos).

Vuelta 20: 2 puntos bajos, 1 disminución. Repetir hasta el final de la vuelta (18 puntos).

Vuelta 21: 1 punto bajo, 1 disminución. Repetir hasta el final de la vuelta (12 puntos).

Rellenar con algodón sintético.

Vuelta 22: 6 disminuciones. Cerrar el tejido.

Ojos

Usar color negro

Vuelta 1: hacer un anillo mágico de 6 puntos bajos (6 puntos).

Usar color blanco

Vuelta 2: 1 aumento en todos los puntos bajos de la vuelta anterior (12 puntos).

Vuelta 3: 1 punto bajo en todos los puntos de la vuelta anterior (12).

Terminar el tejido y dejar una hebra larga para coser a la cabeza.

Boca grande

Vuelta 1: 2 cadenetas, 3 puntos bajos en la segunda cadeneta desde el ganchillo.

Vuelta 2: 1 cadeneta, 2 puntos bajos en cada uno de los puntos anteriores (6 puntos).

Vuelta 3: 1 cadeneta, 1 punto bajo en el siguiente punto, 2 puntos bajos siguiente punto (dos veces) (9 puntos).

Vuelta 4: 1 cadeneta, 2 puntos bajos en los siguientes 2 puntos, 2 puntos bajos en el siguiente punto (dos veces) (12 puntos).

Vuelta 5: 1 cadeneta, 3 puntos bajos en los siguientes 3 puntos, 2 puntos bajos en el siguiente punto (dos veces) (15 puntos).

Terminar la vuelta y coser a la pelota. Con hilo negro, coser la forma de los dientes. Las pelotas que no llevan boca u ojos tejidos se hacen cosiendo con hilo negro y el truco está en tratar de variar la expresión consiguiendo muchos gestos diferentes divertidos.

TÉCNICA MALABAR CON TRES PELOTAS

No se trata solamente de un pasatiempo divertido... Hacer malabares potencia la concentración, relaja la mente y aporta habilidad y seguridad manual. La técnica para hacer malabares con tres pelotas es bastante sencilla y con un poco de práctica podemos convertirnos en expertos.

1. Comenzar lanzando una sola pelota de una mano a otra describiendo un arco hacia arriba.
2. Cuando la recepción de una pelota sea buena, usar dos pelotas. Se lanza una hacia la otra mano describiendo el mismo arco y mientras, se pasa la segunda pelota de una mano a otra por debajo.
3. Cuando se tenga práctica con dos pelotas, se introduce la tercera. Se colocan dos pelotas en la palma de una mano y una en la otra. El sistema es: lanzar una de las pelotas que están juntas describiendo un arco, cuando esté justo en la parte de arriba del arco, se lanza la pelota que está sola. La operación de lanzar y cambiar de mano la pelota para volverla a lanzar se hará siempre cuando una de las pelotas esté en la parte superior del arco. Así, una está arriba, otra hay que recogerla y otra hay que cambiarla de mano continuamente.

Osito estudiante

Una versión renovada del osito Teddy de toda la vida es este peluche en tonos marrones que parece recién salido de la guardería o la primera escuela. La figura va acompañada de una cartera y podemos cambiar a nuestro gusto los colores y la exresión del rostro. Es un amigurumi válido como figura de apego para un bebé, siempre que utilicemos ojos de seguridad o bordemos los ojos con hilo grueso.

CABEZA

Vuelta 1: hacer un anillo mágico de 6 puntos bajos (6 puntos).

Vuelta 2: 1 aumento en todos los puntos bajos de la vuelta anterior (12 puntos).

Vuelta 3: 1 punto bajo, 1 aumento. Repetir hasta el final de la vuelta (18 puntos).

Vuelta 4: 2 puntos bajos, 1 aumento. Repetir hasta el final de la vuelta (24 puntos).

Vuelta 5: 3 puntos bajos, 1 aumento. Repetir hasta el final de la vuelta (30 puntos).

Vuelta 6: 4 puntos bajos, 1 aumento. Repetir hasta el final de la vuelta (36 puntos).

Vuelta 7: 5 puntos bajos, 1 aumento. Repetir hasta el final de la vuelta (42 puntos).

Vueltas 8 a 15: 1 punto bajo en todos los puntos de la vuelta anterior (42 puntos).

Vuelta 16: 5 puntos bajos, 1 disminución. Repetir hasta el final de la vuelta (36 puntos).

Materiales

Hilo de algodón o lana de color: blanco, marrón claro y marrón oscuro • Aguja de ganchillo un poco más delgada que el grosor de la lana • Marcador de vueltas • Tijeras • Algodón sintético • Aguja lanera • Hilo negro • Fieltro blanco

Vuelta 17: 4 puntos bajos, 1 disminución. Repetir hasta el final de la vuelta (30 puntos).

Vuelta 18: 3 puntos bajos, 1 disminución. Repetir hasta el final de la vuelta (24 puntos).

Vuelta 19: 2 puntos bajos, 1 disminución. Repetir hasta el final de la vuelta (18 puntos).

Vuelta 20: 1 punto bajo, 1 disminución. Repetir hasta el final de la vuelta (12 puntos).

Rellenar con algodón sintético.
Vuelta 21: 6 disminuciones. Cerrar el tejido.

Dejar una hebra larga para coser la cabeza al cuerpo.

Cuerpo

Usar marrón claro
Vuelta 1: hacer un anillo mágico de 6 puntos bajos (6 puntos).
Vuelta 2: 1 aumento en todos los puntos bajos de la vuelta anterior (12 puntos).

Vuelta 3: 1 punto bajo, 1 aumento. Repetir hasta el final de la vuelta (18 puntos).

Vuelta 4: 2 puntos bajos, 1 aumento. Repetir hasta el final de la vuelta (24 puntos).

Vuelta 5: 3 puntos bajos, 1 aumento. Repetir hasta el final de la vuelta (30 puntos).

Vuelta 6: 4 puntos bajos, 1 aumento. Repetir hasta el final de la vuelta (36 puntos).

Vueltas 7 a 12: 1 punto bajo en todos los puntos de la vuelta anterior (36 puntos).

Vuelta 13: 4 puntos bajos, 1 disminución. Repetir hasta el final de la vuelta (30 puntos).

Vuelta 14: 3 puntos bajos, 1 disminución. Repetir hasta el final de la vuelta (24 puntos).

Vuelta 15: 2 puntos bajos, 1 disminución. Repetir hasta el final de la vuelta (18 puntos).

Vuelta 16: 1 punto bajo, 1 disminución. Repetir hasta el final de la vuelta (12 puntos).

Rellenar con algodón sintético.

Vuelta 17: 6 disminuciones.
Cerrar el tejido.

PIERNAS

Hacer dos iguales

Usar marrón claro

Vuelta 1: hacer un anillo mágico de 6 puntos bajos (6 puntos).

Vuelta 2: 1 aumento en todos los puntos bajos de la vuelta anterior (12 puntos).

Vuelta 3: 1 punto bajo, 1 aumento. Repetir hasta el final de la vuelta (18 puntos).

Vuelta 4: 2 puntos bajos, 1 aumento. Repetir hasta el final de la vuelta (24 puntos).

Vuelta 5: 3 puntos bajos, 1 aumento. Repetir hasta el final de la vuelta (30 puntos).

Vuelta 6: 4 puntos bajos, 1 aumento. Repetir hasta el final de la vuelta (36 puntos).

Vueltas 7 y 8: 1 punto bajo en todos los puntos de la vuelta anterior (36 puntos).

Vuelta 9: 4 puntos bajos, 1 disminución. Repetir hasta el final de la vuelta (30 puntos).

Vuelta 10: 3 puntos bajos, 1 disminución. Repetir hasta el final de la vuelta (24 puntos).

Rellenar con algodón sintético.

Vueltas 11 a 22: 1 punto bajo en todos los puntos de la vuelta anterior (24 puntos).

Terminar la vuelta y dejar una hebra larga para coser al cuerpo. Rellenar con algodón sintético lo que falta de la pierna.

BRAZOS

Hacer dos iguales

Usar marrón claro

Vuelta 1: hacer un anillo mágico de 6 puntos bajos (6 puntos).

Vuelta 2: 1 aumento en todos los puntos bajos de la vuelta anterior (12 puntos).

Vuelta 8: 1 punto bajo, 1 disminución. Repetir hasta el final de la vuelta (18 puntos).

Rellenar con algodón sintético.
Vueltas 9 a 16: 1 punto bajo en todos los puntos de la vuelta anterior (18 puntos).

Terminar la vuelta y dejar una hebra larga para coser al cuerpo. Rellenar bien con algodón sintético lo que falta del brazo.

Orejas

Hacer dos iguales
Usar color marrón claro
Vuelta 1: hacer un anillo mágico de 6 puntos (6 puntos).
Vuelta 2: 1 aumento en todos los puntos de la vuelta anterior (12 puntos).
Vuelta 3: 1 punto bajo, 1 aumento en todos los puntos de la vuelta anterior (18 puntos).
Vuelta 4: 2 puntos bajos, 1 aumento en todos los puntos de la vuelta anterior (24 puntos).
Vueltas 5 a 9: 1 punto bajo en todos los puntos de la vuelta anterior (24 puntos).

Cerrar el tejido y dejar un trozo largo de hilo para coser las orejas a la cabeza.

Morrito

Usar color blanco
Vuelta 1: hacer un anillo mágico de 8 puntos (8 puntos).
Vuelta 2: 1 aumento en todos los puntos de la vuelta anterior (16 puntos).

Vuelta 3: 1 punto bajo, 1 aumento. Repetir hasta el final de la vuelta (18 puntos).
Vuelta 4: 2 puntos bajos, 1 aumento. Repetir hasta el final de la vuelta (24 puntos).
Vueltas 5 y 6: 1 punto bajo en todos los puntos de la vuelta anterior (24 puntos).
Vuelta 7: 2 puntos bajos, 1 disminución. Repetir hasta el final de la vuelta (24 puntos).

Vuelta 3: 1 punto bajo, 1 aumento en todos los puntos de la vuelta anterior (24 puntos).

Vueltas 4 a 8: 1 punto bajo en todos los puntos de la vuelta anterior (24 puntos).

Cerrar el tejido y dejar una hebra larga para coser a la cabeza. Se puede usar un poco de relleno para darle más volumen. Con hilo negro, cosemos los ojos, cejas, nariz y boca como queramos. También es posible usar fieltro negro pegado.

Cartera

Usar marrón oscuro

Vuelta 1: tejer 10 cadenetas.

Vueltas 2 a 25: tejer 1 punto bajo en cada cadeneta.

Hacemos un sobre con las primeras 20 vueltas y cosemos los laterales, de manera que las 5 vueltas restantes nos quedan como la tapa de la cartera. Pegamos un corazón de fieltro blanco como adorno.

Para el asa

Vuelta 1: tejer 20 cadenetas.

Vuelta 2: tejer 1 punto bajo en cada cadeneta. Cosemos la tira a la cartera.

Pingüino

El pingüino es realmente una mascota original y simpática. Este pájaro vestido con frac de rostro angelical puede dar suerte a su portador y convertirse en el mejor amigo llevando toda su dulzura a un rincón de la casa o de la oficina. El trabajo de amigurumi de este muñeco es algo más complicado que los que son simplemente circulares, pero con un poco de práctica, nada se nos resistirá.

CUERPO

Usar color negro

Vuelta 1: hacer un anillo mágico de 6 puntos bajos (6 puntos).

Vuelta 2: 1 aumento en todos los puntos bajos de la vuelta anterior (12 puntos).

Vuelta 3: 1 punto bajo, 1 aumento. Repetir hasta el final de la vuelta (18 puntos).

Vuelta 4: 2 puntos bajos, 1 aumento. Repetir hasta el final de la vuelta (24 puntos).

Vuelta 5: 3 puntos bajos, 1 aumento. Repetir hasta el final de la vuelta (30 puntos).

Vuelta 6: 4 puntos bajos, 1 aumento. Repetir hasta el final de la vuelta (36 puntos).

Vuelta 7: 5 puntos bajos, 1 aumento. Repetir hasta el final de la vuelta (42 puntos).

Vuelta 8: 6 puntos bajos, 1 aumento. Repetir hasta el final de la vuelta (48 puntos).

Vueltas 9 y 10: 1 punto bajo en todos los puntos de la vuelta anterior (48 puntos).

Vuelta 11: 7 puntos bajos, 1 aumento. Repetir hasta el final de la vuelta (54 puntos).

Vueltas 12 a 18: 1 punto bajo en todos los puntos de la vuelta anterior (54 puntos).

Vuelta 19: 7 puntos bajos, 1 disminución. Repetir hasta el final de la vuelta (48 puntos).

Vuelta 20: 1 punto bajo en todos los puntos de la vuelta anterior (48 puntos).

Vuelta 21: 6 puntos bajos, 1 disminución. Repetir hasta el final de la vuelta (42 puntos).

Vuelta 22: 1 punto bajo en todos los puntos de la vuelta anterior (42 puntos).

Vuelta 23: 5 puntos bajos, 1 disminución. Repetir hasta el final de la vuelta (36 puntos).

Vuelta 24: 1 punto bajo en todos los puntos de la vuelta anterior (36 puntos).

Vuelta 25: 4 puntos bajos, 1 disminución. Repetir hasta el final de la vuelta (30 puntos).

¿Por qué no
confeccionar el
pingüino en colores
más rupturistas?
Imaginemos un ave
del hielo en tonos
flúor…

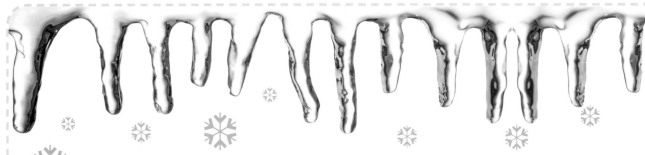

Vuelta 26: 1 punto bajo en todos los puntos de la vuelta anterior (30 puntos).

Vuelta 27: 3 puntos bajos, 1 disminución. Repetir hasta el final de la vuelta (24 puntos).

Vuelta 28: 2 puntos bajos, 1 disminución. Repetir hasta el final de la vuelta (18 puntos).

Vuelta 29: 1 punto bajo en todos los puntos de la vuelta anterior (18 puntos).

Vuelta 30: 1 punto bajo, 1 disminución. Repetir hasta el final de la vuelta (12 puntos).

Rellenar con algodón sintético.

Vuelta 31: 6 disminuciones. Cerrar el tejido.

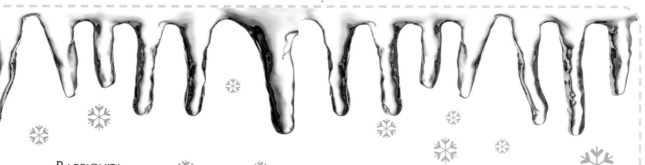

BARRIGUITA

Usar color blanco

Vuelta 1: tejer 10 cadenetas.

Vuelta 2: 1 punto bajo en cada cadeneta (10 puntos).

Vuelta 3: 2 puntos bajos en los siguientes 2 puntos, 2 puntos bajos en el siguiente punto (3 veces) (13 puntos).

Vuelta 4: 3 puntos bajos en los siguientes 2 puntos, 2 puntos bajos en el siguiente punto (3 veces) (17 puntos).

Vueltas 5 a 7: 1 punto bajo en cada cadeneta (17 puntos).

Vuelta 8: 3 puntos bajos en los siguientes 2 puntos, 1 disminución (3 veces) (13 puntos).

Vuelta 9: 1 punto bajo en cada cadeneta (13 puntos).

Vuelta 10: 2 puntos bajos en los siguientes 2 puntos, 1 disminución (3 veces) (10 puntos).

Vuelta 11: 1 punto bajo en cada cadeneta (10 puntos).

Vuelta 12: 1 punto bajo en los siguientes 2 puntos, 1 disminución (3 veces) (6 puntos).

Vuelta 13: 1 punto bajo en cada cadeneta (6 puntos).

Cerrar el tejido y dejar una hebra larga para coser al cuerpo.

CABEZA

Usar color negro

Vuelta 1: hacer un anillo mágico de 6 puntos bajos (6 puntos).

Vuelta 2: 1 aumento en todos los puntos bajos de la vuelta anterior (12 puntos).

Vuelta 3: 1 punto bajo, 1 aumento. Repetir hasta el final de la vuelta (18 puntos).

Vuelta 4: 2 puntos bajos, 1 aumento. Repetir hasta el final de la vuelta (24 puntos).

Vuelta 5: 3 puntos bajos, 1 aumento. Repetir hasta el final de la vuelta (30 puntos).

Vuelta 6: 4 puntos bajos, 1 aumento. Repetir hasta el final de la vuelta (36 puntos).

Vuelta 7: 5 puntos bajos, 1 aumento. Repetir hasta el final de la vuelta (42 puntos).

Vuelta 8: 6 puntos bajos, 1 aumento. Repetir hasta el final de la vuelta (48 puntos).

Vueltas 9 a 16: 1 punto bajo en todos los puntos de la vuelta anterior (48 puntos).

Vuelta 17: 6 puntos bajos, 1 disminución. Repetir hasta el final de la vuelta (42 puntos).

Vuelta 18: 5 puntos bajos, 1 disminución. Repetir hasta el final de la vuelta (36 puntos).

Vuelta 19: 4 puntos bajos, 1 disminución. Repetir hasta el final de la vuelta (30 puntos).

Vuelta 20: 3 puntos bajos, 1 disminución. Repetir hasta el final de la vuelta (24 puntos).

Vuelta 21: 2 puntos bajos, 1 disminución. Repetir hasta el final de la vuelta (18 puntos).

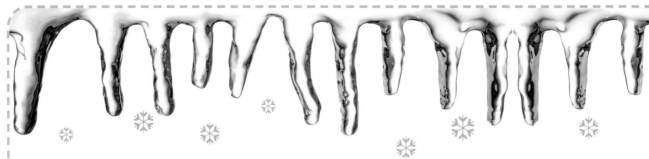

Vuelta 22: 1 punto bajo, 1 disminución. Repetir hasta el final de la vuelta (12 puntos).
Rellenar con algodón sintético.
Vuelta 23: 6 disminuciones.

Cerrar el tejido. Dejar una hebra larga para coser al cuerpo.

PATAS
Hacer dos iguales
Usar color naranja
Vuelta 1: hacer un anillo mágico de 5 puntos bajos (5 puntos).
Vuelta 2: 1 aumento en todos los puntos bajos de la vuelta anterior (10 puntos).
Vueltas 3 a 9: 1 punto bajo en todos los puntos de la vuelta anterior (10 puntos).

Terminar la vuelta y dejar una hebra larga para coser al cuerpo.

ALAS
Hacer dos iguales
Usar color negro
Vuelta 1: hacer un anillo mágico de 4 puntos bajos (4 puntos).
Vuelta 2: 1 punto, 1 aumento. Repetir hasta el final de la vuelta (6 puntos).
Vuelta 3: 2 puntos, 1 aumento. Repetir hasta el final de la vuelta (8 puntos).
Vuelta 4: 3 puntos, 1 aumento. Repetir hasta el final de la vuelta (10 puntos).
Vuelta 5: 4 puntos, 1 aumento. Repetir hasta el final de la vuelta (12 puntos).

Vuelta 6: 5 puntos, 1 aumento. Repetir hasta el final de la vuelta (14 puntos).
Vueltas 7 a 10: 1 punto bajo en todos los puntos de la vuelta anterior (14 puntos).

Terminar la vuelta. Dejar una hebra larga para coser al cuerpo.

OJOS
Usar color blanco
Vuelta 1: hacer un anillo mágico de 6 puntos bajos (6 puntos).
Vuelta 2: 1 aumento en todos los puntos bajos de la vuelta anterior (12 puntos).
Vuelta 3: 1 punto bajo en todos los puntos de la vuelta anterior (12).

Con color negro bordar la parte interna del ojo.

Terminar el tejido y dejar una hebra larga para coser a la cabeza.

MORRO
Usar color blanco
Vuelta 1: hacer un anillo mágico de 8 puntos (8 puntos).
Vuelta 2: 1 aumento en todos los puntos de la vuelta anterior (16 puntos).
Vuelta 3: 1 punto bajo. 1 aumento en todos los puntos de la vuelta anterior (24 puntos).
Vueltas 4 a 8: 1 punto bajo en todos los puntos de la vuelta anterior (24 puntos).

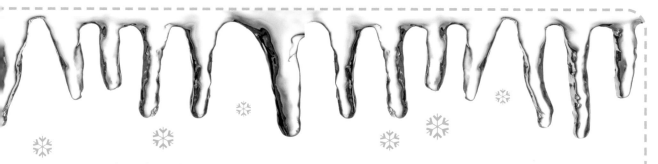

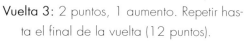

Cerrar el tejido y dejar una hebra larga para coser a la cabeza. Usar un poco de relleno para darle más volumen. Pegar por debajo de los ojos.

Pico

Usar color naranja

Vuelta 1: hacer un anillo mágico de 6 puntos bajos (6 puntos).

Vuelta 2: 1 punto, 1 aumento. Repetir hasta el final de la vuelta (9 puntos).

Vuelta 3: 2 puntos, 1 aumento. Repetir hasta el final de la vuelta (12 puntos).

Vuelta 4: 3 puntos, 1 aumento. Repetir hasta el final de la vuelta (15 puntos).

Vueltas 5 y 6: 1 punto bajo en todos los puntos de la vuelta anterior (15 puntos).

Terminar la vuelta. Doblar y coser una mitad a la otra para obtener la forma de triángulo. Dejar una hebra larga para coser al morrito blanco.

Cerdito mascota

El cerdito ha ido ganando adeptos en el universo de las mascotas.
La moda de algunos famosos de adquirir un cerdito vietnamita ha incluido a
este animal de granja entre los más queridos, así que ¿por qué no
tejer un adorable cerdito rosa? Este amigurumi tan delicioso está
basado en las huchas clásicas.

Cuerpo

Usar el color rosa más fuerte

Vuelta 1: hacer un anillo mágico de 6 puntos bajos (6 puntos).

Vuelta 2: 1 aumento en todos los puntos bajos de la vuelta anterior (12 puntos).

Vuelta 3: 1 punto bajo, 1 aumento. Repetir hasta el final de la vuelta (18 puntos).

Vuelta 4: 2 puntos bajos, 1 aumento. Repetir hasta el final de la vuelta (24 puntos).

Vuelta 5: Tomado el bucle de atrás de la cadeneta para formar el borde, tejer: 4 puntos bajos, 1 disminución. Repetir hasta el final de la vuelta (20 puntos).

Usar color rosa más claro

Vueltas 6 a 9: 1 punto bajo en todos los puntos de la vuelta anterior (20 puntos).

Vuelta 10: 3 puntos, 1 aumento. Repetir hasta el final de la vuelta (25 puntos).

Vuelta 11: 4 puntos, 1 aumento. Repetir hasta el final de la vuelta (30 puntos).

Vuelta 12: 4 puntos, 1 aumento. Repetir hasta el final de la vuelta (36 puntos).

Vueltas 13 y 14: 1 punto bajo en todos los puntos de la vuelta anterior (36 puntos).

Vuelta 15: 8 puntos, 1 aumento. Repetir hasta el final de la vuelta (40 puntos).

Vueltas 16 a 19: 1 punto bajo en todos los puntos de la vuelta anterior (40 puntos).

Vuelta 20: 8 puntos, 1 disminución. Repetir hasta el final de la vuelta (36 puntos).

Vuelta 21: 1 punto bajo en todos los puntos de la vuelta anterior (36 puntos).

Vuelta 22: 4 puntos, 1 disminución. Repetir hasta el final de la vuelta (30 puntos).

Vuelta 23: 1 punto bajo en todos los puntos de la vuelta anterior (30 puntos).

Vuelta 24: 3 puntos, 1 disminución. Repetir hasta el final de la vuelta (24 puntos).

Vuelta 25: 1 punto bajo en todos los puntos de la vuelta anterior (24 puntos).

Materiales

Hilo de algodón o lana de color: rosa en tonos claro y oscuro •
Aguja de ganchillo un poco más delgada que el grosor de la lana •
Marcador de vueltas • Tijeras • Algodón sintético • Aguja lanera •
Hilo negro • Cinta color mostaza

Rellenar con algodón sintético y luego completar el cuerpo.

Vuelta 26: 12 disminuciones (12 puntos).

Vuelta 27: 6 disminuciones (6 puntos). Cerrar el tejido.

PATAS

Hacer cuatro iguales

Usar color rosa más fuerte

Vuelta 1: hacer un anillo mágico de 8 puntos bajos (8 puntos).

Vuelta 2: 1 punto bajo, 1 aumento. Repetir hasta el final de la vuelta (12 puntos).

Vuelta 3: tomado el bucle de atrás de la cadeneta para formar el borde, tejer 1 punto bajo en todos los puntos de la vuelta anterior (12 puntos).

Vueltas 4 a 6: 1 punto bajo en todos los puntos de la vuelta anterior (12 puntos).

Cerrar la vuelta y dejar una hebra larga para coser al cuerpo. Rellenar con algodón sintético teniendo en cuenta que deben quedar muy firmes.

OREJAS

Hacer dos iguales

Usar color rosa más fuerte

Vuelta 1: hacer un anillo mágico de 6 puntos bajos (6 puntos).

Vuelta 2: 1 punto bajo, 1 aumento. Repetir hasta el final de la vuelta (9 puntos).

Vueltas 3 y 4: 1 punto bajo en todos los puntos de la vuelta anterior (9 puntos).

Vuelta 5: 1 punto bajo, 1 aumento. Repetir hasta el final de la vuelta (12 puntos).

Vuelta 6: 1 punto bajo, 1 aumento. Repetir hasta el final de la vuelta (12 puntos).

Cerrar la vuelta y dejar una hebra larga para coser al cuerpo.

RABITO

Tomar 4 hebras de lana y coser al cerdito. Cortar el excedente.

DECORACIÓN

Con hilo negro, bordar los ojos y los dos puntitos característicos de la nariz. Atar una cinta de raso de color mostaza alrededor del cuerpo y hacer un lazo.

Ratita presumida

Esta colorida ratita de largos bigotes se ha tejido para que permanezca tumbada, quizá custodiando un montón de libros sobre el escritorio o adornando una estantería o una mesa. Es la compañera ideal para llevar a la oficina y alegrarnos el día con sus brillantes colores.

CUERPO

Alternar los colores cada dos vueltas, como más guste

Vuelta 1: hacer un anillo mágico de 6 puntos bajos (6 puntos).

Vuelta 2: 1 aumento en todos los puntos bajos de la vuelta anterior (12 puntos).

Vuelta 3: 1 punto bajo, 1 aumento. Repetir hasta el final de la vuelta (18 puntos).

Vuelta 4: 2 puntos bajos, 1 aumento. Repetir hasta el final de la vuelta (24 puntos).

Vuelta 5: 3 puntos, 1 aumento. Repetir hasta el final de la vuelta (30 puntos).

Vuelta 6: 4 puntos, 1 aumento. Repetir hasta el final de la vuelta (36 puntos).

Vueltas 7 a 11: 1 punto bajo en todos los puntos de la vuelta anterior (36 puntos).

Vuelta 12: 8 puntos, 1 aumento. Repetir hasta el final de la vuelta (40 puntos).

Vuelta 13: 1 punto bajo en todos los puntos de la vuelta anterior (40 puntos).

Vuelta 14: 8 puntos, 1 disminución. Repetir hasta el final de la vuelta (36 puntos).

Vuelta 15: 1 punto bajo en todos los puntos de la vuelta anterior (36 puntos).

Vuelta 16: 4 puntos, 1 disminución. Repetir hasta el final de la vuelta (30 puntos).

Vuelta 17: 1 punto bajo en todos los puntos de la vuelta anterior (30 puntos).

Vuelta 18: 3 puntos, 1 disminución. Repetir hasta el final de la vuelta (24 puntos).

Vuelta 19: 2 puntos, 1 disminución. Repetir hasta el final de la vuelta (18 puntos).

Materiales

Hilo de algodón o lana de color: amarillo, verde, rojo, azul marino
• Aguja de ganchillo un poco más delgada que el grosor de la lana
• Marcador de vueltas • Tijeras • Algodón sintético • Aguja lanera
• Ojos rojos, preferiblemente de seguridad • Cordón encerado
negro

El colorido de
la ratita es lo que la
hace especial.
Podemos aprovechar
restos de lana de otros
proyectos para
hacer este.

Rellenar con algodón sintético. Y seguir el tejido de la siguiente manera.

Vuelta 20: 1 punto bajo, 1 aumento. Repetir hasta el final de la vuelta (27 puntos).

Vueltas 21 a 25: 1 punto bajo en todos los puntos de la vuelta anterior (27 puntos).

Vuelta 26: 1 punto, 1 disminución. Repetir hasta el final de la vuelta (18 puntos).

Vuelta 27: 1 punto bajo en todos los puntos de la vuelta anterior (18 puntos).

Vuelta 28: 1 punto, 1 disminución. Repetir hasta el final de la vuelta (12 puntos).

Vuelta 29: 1 punto bajo en todos los puntos de la vuelta anterior (12 puntos).

Rellenar con algodón sintético.

Vuelta 30: 1 punto, 1 disminución. Repetir hasta el final de la vuelta (8 puntos).

Vuelta 31: 1 punto bajo en todos los puntos de la vuelta anterior (8 puntos).

Vuelta 32: 4 disminuciones y cerrar. Coser los ojos (si es para un niño pequeño, es mejor bordarlos).

Dar vueltas y anudar los bigotes de cordón encerado negro.

Patas

Hacer cuatro iguales

Vuelta 1: hacer un anillo mágico de 4 puntos bajos (4 puntos).

Vuelta 2: 1 aumento en todos los puntos bajos de la vuelta anterior (8 puntos).

Vueltas 3 a 7: 1 punto bajo en todos los puntos de la vuelta anterior (8 puntos).

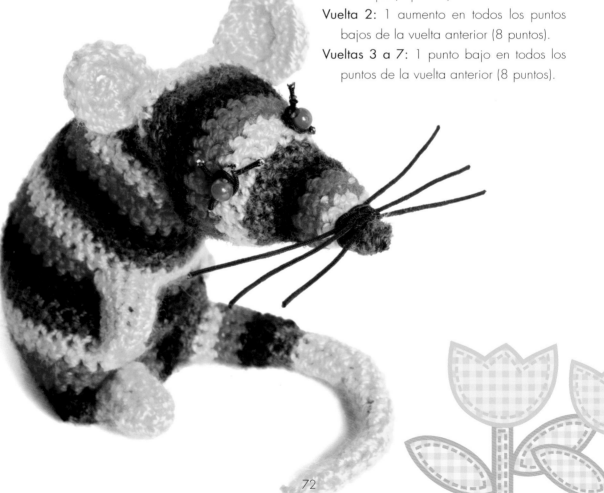

Cerrar la vuelta y dejar una hebra larga para coser al cuerpo. Rellenar con algodón sintético.

OREJAS

Hacer dos iguales

Vuelta 1: hacer un anillo mágico de 6 puntos bajos (6 puntos).

Vuelta 2: 1 punto bajo, 1 aumento. Repetir hasta el final de la vuelta (9 puntos).

Vueltas 3 y 4: 1 punto bajo en todos los puntos de la vuelta anterior (9 puntos).

Cerrar la vuelta y dejar una hebra larga para coser al cuerpo.

COLA

Vuelta 1: hacer un anillo mágico de 4 puntos bajos (4 puntos).

Vuelta 2: 1 aumento en todos los puntos bajos de la vuelta anterior (8 puntos).

Vueltas 3 a 12: 1 punto bajo en todos los puntos de la vuelta anterior (8 puntos).

Vuelta 13: 6 puntos, 1 disminución. Repetir hasta el final de la vuelta (7 puntos).

Vuelta 14: 5 puntos, 1 disminución. Repetir hasta el final de la vuelta (6 puntos).

Vuelta 15: 4 puntos, 1 disminución. Repetir hasta el final de la vuelta (5 puntos).

Vuelta 16: 3 puntos, 1 disminución. Repetir hasta el final de la vuelta (4 puntos).

Vuelta 17: 2 puntos, 1 disminución. Repetir hasta el final de la vuelta (3 puntos).

Vuelta 18: 1 punto, 1 disminución. Repetir hasta el final de la vuelta (2 puntos).

Vuelta 19: 1 disminución. Cerrar tejido y esconder la hebra sobrante.

Coser al cuerpo. Ponemos un poco de relleno para darle más forma. El relleno también puede ser pesado (arroz, legumbres, etc.) si queremos que se mantenga sentada.

Conejitos amorosos

Lejos del concepto del conejo de Pascua, este modelo de conejito
es más un peluche que un amigurumi, aunque se haya tejido con esta técnica.
En esta ocasión se han usado lanas con pelo en lugar de hilos de algodón,
consiguiendo una apariencia mucho más suave y esponjosa,
especialmente indicada para abrazarlos.

CABEZA

Vuelta 1: hacer un anillo mágico de 6 puntos bajos (6 puntos).

Vuelta 2: 1 aumento en todos los puntos bajos de la vuelta anterior (12 puntos).

Vuelta 3: 1 punto bajo, 1 aumento. Repetir hasta el final de la vuelta (18 puntos).

Vuelta 4: 2 puntos bajos, 1 aumento. Repetir hasta el final de la vuelta (24 puntos).

Vuelta 5: 3 puntos bajos, 1 aumento. Repetir hasta el final de la vuelta (30 puntos).

Vueltas 6 a 12: 1 punto bajo en todos los puntos de la vuelta anterior (30 puntos).

Vuelta 13: 3 puntos bajos, 1 disminución. Repetir hasta el final de la vuelta (24 puntos).

Vuelta 14: 2 puntos bajos, 1 disminución. Repetir hasta el final de la vuelta (18 puntos).

Vuelta 15: 1 punto bajo, 1 disminución. Repetir hasta el final de la vuelta (12 puntos).

Rellenar con algodón sintético.

Vuelta 16: 6 disminuciones.

Cerrar el tejido y dejar una hebra larga para coser la cabeza al cuerpo.

CUERPO

Vuelta 1: hacer un anillo mágico de 6 puntos bajos (6 puntos).

Vuelta 2: 1 aumento en todos los puntos bajos de la vuelta anterior (12 puntos).

Vuelta 3: 1 punto bajo, 1 aumento. Repetir hasta el final de la vuelta (18 puntos).

Vuelta 4: 2 puntos bajos, 1 aumento. Repetir hasta el final de la vuelta (24 puntos).

Vuelta 5: 3 puntos bajos, 1 aumento. Repetir hasta el final de la vuelta (30 puntos).

Vueltas 6 a 12: 1 punto bajo en todos los puntos de la vuelta anterior (30 puntos).

Vuelta 13: 3 puntos bajos, 1 disminución. Repetir hasta el final de la vuelta (24 puntos).

Materiales

Lana de color marrón claro y gris • Aguja de ganchillo un poco más delgada que el grosor de la lana • Marcador de vueltas • Tijeras • Algodón sintético • Aguja lanera • Ojos de seguridad

Vueltas 14 y 15: 1 punto bajo en todos los puntos de la vuelta anterior (24 puntos).

Vuelta 16: 2 puntos bajos, 1 disminución. Repetir hasta el final de la vuelta (18 puntos).

Vueltas 17 y 18: 1 punto bajo en todos los puntos de la vuelta anterior (18 puntos).

Vuelta 19: 1 punto bajo, 1 disminución. Repetir hasta el final de la vuelta (12 puntos).

Rellenar con algodón sintético.

Vuelta 20: 6 disminuciones.

Cerrar el tejido.

BRAZOS

Hacer dos iguales

Vuelta 1: hacer un anillo mágico de 6 puntos bajos (6 puntos).

Vuelta 2: 1 aumento en todos los puntos bajos de la vuelta anterior (12 puntos).

Vueltas 3 a 6: 1 punto bajo en todos los puntos de la vuelta anterior (12 puntos).

Vuelta 7: 2 puntos bajos, 1 disminución. Repetir hasta el final de la vuelta (9 puntos).

Rellenar con algodón sintético.
Cerrar el tejido y coser al cuerpo.

PIERNAS

Hacer dos iguales

Vuelta 1: tejer 7 cadenetas.

Vuelta 2: 1 punto bajo en la segunda cadeneta desde el ganchillo. 1 punto las siguientes 4 cadenetas, 3 puntos en la siguiente cadeneta. Giramos el tejido y

trabajamos por el otro lado de la cadeneta. 1 punto en las siguientes 4 cadenetas. 2 puntos en la última cadeneta. Cerrar con punto deslizado y hacemos una cadeneta (15 puntos).

Vuelta 3: 2 puntos en el siguiente punto, 1 medio punto en los dos siguientes, 2 puntos bajos 8 veces, 1 medio punto en los siguientes 4. Cerrar con punto deslizado y hacemos una cadeneta (24 puntos).

Vuelta 4: 1 punto bajo tomado el bucle de atrás de la cadeneta (24 puntos).

Vueltas 5 a 10: 1 punto bajo en todos los puntos de la vuelta anterior (24 puntos).

Vuelta 11: 1 medio punto en los próximos 12 puntos. 1 disminución (3 veces), 1 punto bajo en los siguientes 6 puntos (21 puntos).

Vuelta 12: 1 medio punto en los próximos 11 puntos, 1 disminución (3 veces), 1 punto bajo en los siguientes 4 puntos (18 puntos).

Vuelta 13: 1 medio punto en los próximos 12, 1 disminución, 1 punto bajo en los siguientes 4 puntos (18 puntos).

Vueltas 14 a 17: 1 punto bajo en todos los puntos de la vuelta anterior (18 puntos).

Vuelta 18: 8 disminuciones y 1 punto bajo en el último.

Cerrar con un punto deslizado.
Dejar una hebra larga para coser al cuerpo.

Rellenar con algodón sintético.

OREJAS

Hacer dos iguales

Vuelta 1: hacer un anillo mágico de 4 puntos bajos (4 puntos).

Vuelta 2: 1 aumento en todos los puntos bajos de la vuelta anterior (8 puntos).

Vueltas 3 a 10: 1 punto bajo en todos los puntos de la vuelta anterior (10 puntos).

Terminar la vuelta y coser las orejas.

Dulce osito

Por supuesto, el rosa indica que es el osito ideal para decorar la habitación de una niña. Su inocente aspecto remite a los ositos de la primera infancia, esos compañeros de juegos y sueños tan fieles que recordamos toda la vida. Por eso, este amigurumi debe tejerse con especial mimo y amor, ya que los sentimientos con los que se construya, se trasladarán a su propietario.

CABEZA

Vuelta 1: hacer un anillo mágico de 6 puntos bajos (6 puntos).

Vuelta 2: 1 aumento en todos los puntos bajos de la vuelta anterior (12 puntos).

Vuelta 3: 1 punto bajo, 1 aumento. Repetir hasta el final de la vuelta (18 puntos).

Vuelta 4: 2 puntos bajos, 1 aumento. Repetir hasta el final de la vuelta (24 puntos).

Vuelta 5: 3 puntos bajos, 1 aumento. Repetir hasta el final de la vuelta (30 puntos).

Vuelta 6: 1 punto bajo en todos los puntos de la vuelta anterior (30 puntos).

Vuelta 7: 4 puntos bajos, 1 aumento. Repetir hasta el final de la vuelta (36 puntos).

Vueltas 8 a 15: 1 punto bajo en todos los puntos de la vuelta anterior (36 puntos).

Vuelta 16: 4 puntos bajos, 1 disminución. Repetir hasta el final de la vuelta (30 puntos).

Vuelta 17: 3 puntos bajos, 1 disminución. Repetir hasta el final de la vuelta (24 puntos).

Vuelta 18: 2 puntos bajos, 1 disminución. Repetir hasta el final de la vuelta (18 puntos).

Vuelta 19: 1 punto bajo, 1 disminución. Repetir hasta el final de la vuelta (12 puntos).

Colocar los originales ojos de seguridad y rellenar con algodón sintético.

Vuelta 20: 6 disminuciones y cerrar el tejido.

CUERPO

Vuelta 1: hacer un anillo mágico de 6 puntos bajos (6 puntos).

Vuelta 2: 1 aumento en todos los puntos bajos de la vuelta anterior (12 puntos).

Vuelta 3: 1 punto bajo, 1 aumento. Repetir hasta el final de la vuelta (18 puntos).

Vuelta 4: 2 puntos bajos, 1 aumento. Repetir hasta el final de la vuelta (24 puntos).

Vuelta 5: 3 puntos bajos, 1 aumento. Repetir hasta el final de la vuelta (30 puntos).

Vuelta 6: 4 puntos bajos, 1 aumento. Repetir hasta el final de la vuelta (36 puntos).

Vueltas 7 a 12: 1 punto bajo en todos los puntos de la vuelta anterior (36 puntos).

Materiales

Hilo de algodón o lana de color rosa • Aguja de ganchillo un poco más delgada que el grosor de la lana • Marcador de vueltas • Tijeras • Algodón sintético • Aguja lanera • Ojos de seguridad brillantes • Hilo negro • Cinta de organza rosa

Cambiando el color del osito lo hacemos apto para un niño varón (azul bebé) o para adultos (con colores más realistas).

Vuelta 13: 4 puntos bajos, 1 disminución. Repetir hasta el final de la vuelta (30 puntos).

Vuelta 14: 3 puntos bajos, 1 disminución. Repetir hasta el final de la vuelta (24 puntos).

Vuelta 15: 2 puntos bajos, 1 disminución. Repetir hasta el final de la vuelta (18 puntos).

Vuelta 16: 1 punto bajo, 1 disminución. Repetir hasta el final de la vuelta (12 puntos).

Rellenar con algodón sintético.

Vuelta 17: 6 disminuciones. Cerrar el tejido.

PIERNAS

Hacer dos iguales

Vuelta 1: hacer 6 cadenetas.

Vuelta 2: 5 puntos bajos, 3 puntos en el siguiente punto, giramos el tejido y trabajamos por el otro lado de la cadeneta, 5 puntos bajos, 2 puntos bajos en el último punto.

Vuelta 3: 6 puntos bajos, 1 aumento (3 veces), 6 puntos bajos, 3 puntos bajos en el último punto.

Vuelta 4: 6 puntos bajos, 1 aumento (2 veces), 2 puntos bajos, 1 aumento (2 veces), 8 puntos bajos, 1 aumento, 2 puntos bajos.

Vuelta 5: 9 puntos bajos, 1 aumento (4 veces), 11 puntos bajos, 1 aumento (2 veces), 2 puntos bajos.

Vuelta 6: 8 puntos bajos, 1 aumento (2 veces), 6 puntos bajos, 1 aumento (2 veces), 10 puntos bajos, 1 aumento (2 veces), 2 puntos bajos.

Vuelta 7: 9 puntos bajos, 1 aumento, 1 punto bajo, 1 aumento, 6 puntos bajos, 1 aumento, 1 punto bajo, 1 aumento, 12 puntos bajos, 1 aumento (2 veces), 2 puntos bajos.

En total del tejido de las 7 vueltas quedarán 44 puntos.

Vuelta 8: punto bajo tomado el bucle de atrás de la cadeneta (44 puntos).

Vueltas 9 y 10: 1 punto bajo en todos los puntos de la vuelta anterior (44 puntos).

Vuelta 11: 1 punto bajo, 1 disminución (2 veces), 6 puntos bajos, 1 disminución (5 veces), 6 puntos bajos, 1 disminución, 1 punto bajo.

Vuelta 12: 1 punto bajo, 1 disminución, 6 puntos bajos, 1 disminución (6 veces), 6 puntos bajos, 1 disminución, 1 punto bajo.

BRAZOS

Hacer dos iguales

Vuelta 1: hacer un anillo mágico de 6 puntos bajos (6 puntos).

Vuelta 2: 1 aumento en todos los puntos bajos de la vuelta anterior (12 puntos).

Vuelta 3: 1 punto bajo, 1 aumento. Repetir hasta el final de la vuelta (18 puntos).

Vuelta 4: 2 puntos bajos, 1 aumento. Repetir hasta el final de la vuelta (24 puntos).

Vueltas 5 y 6: 1 punto bajo en todos los puntos de la vuelta anterior (24 puntos).

Vuelta 7: 2 puntos bajos, 1 disminución. Repetir hasta el final de la vuelta (24 puntos).

Vuelta 8: 1 punto bajo, 1 disminución. Repetir hasta el final de la vuelta (18 puntos).

Rellenar con algodón sintético.

Vueltas 9 a 16: 1 punto bajo en todos los puntos de la vuelta anterior (18 puntos).

Terminar la vuelta y dejar una hebra larga para coser al cuerpo. Rellenar con algodón sintético lo que falta del brazo.

OREJAS

Hacer dos iguales

Vuelta 1: hacer un anillo mágico de 6 puntos (6 puntos).

Vuelta 2: 1 aumento en todos los puntos de la vuelta anterior (12 puntos).

Vuelta 3: 1 punto bajo, 1 aumento en todos los puntos de la vuelta anterior (18 puntos).

Vuelta 4: 1 punto bajo en todos los puntos de la vuelta anterior (18 puntos).

Cerrar el tejido y dejar un trozo largo de hilo para coser las orejas a la cabeza.

BOCA

Vuelta 1: hacer un anillo mágico de 6 puntos (6 puntos).

Vuelta 2: 1 aumento en todos los puntos de la vuelta anterior (11 puntos).

Vuelta 3: 1 punto bajo, 1 aumento en todos los puntos de la vuelta anterior (18 puntos).

Vueltas 4 a 8: 1 punto bajo en todos los puntos de la vuelta anterior (18 puntos).

Cerrar el tejido y dejar una hebra larga para coser a la cabeza. Usar un poco de relleno para darle más volumen.

Dálmata juguetón

Desde el gran éxito cinematográfico, los perritos dálmatas cuentan con las simpatías de grandes y pequeños. Este adorable perrito tiene la dificultad de bordar las manchas, pero merece la pena a la vista del enternecedor resultado. Le hemos añadido un cascabel para que sea la mascota ideal.

CABEZA

Usar color blanco

Vuelta 1: hacer un anillo mágico de 6 puntos bajos (6 puntos).

Vuelta 2: 1 aumento en todos los puntos bajos de la vuelta anterior (12 puntos).

Vuelta 3: 1 punto bajo, 1 aumento. Repetir hasta el final de la vuelta (18 puntos).

Vuelta 4: 2 puntos bajos, 1 aumento. Repetir hasta el final de la vuelta (24 puntos).

Vuelta 5: 3 puntos bajos, 1 aumento. Repetir hasta el final de la vuelta (30 puntos).

Vuelta 6: 4 puntos bajos, 1 aumento. Repetir hasta el final de la vuelta (36 puntos).

Vuelta 7: 5 puntos bajos, 1 aumento. Repetir hasta el final de la vuelta (42 puntos).

Vueltas 8 a 14: 1 punto bajo en todos los puntos de la vuelta anterior (42 puntos).

Vuelta 15: 5 puntos bajos, 1 disminución. Repetir hasta el final de la vuelta (36 puntos).

Vuelta 16: 4 puntos bajos, 1 disminución. Repetir hasta el final de la vuelta (30 puntos)

Vuelta 17: 3 puntos bajos, 1 disminución. Repetir hasta el final de la vuelta (24 puntos).

Vuelta 18: 2 puntos bajos, 1 disminución. Repetir hasta el final de la vuelta (18 puntos).

Vuelta 19: 1 punto bajo, 1 disminución. Repetir hasta el final de la vuelta (12 puntos).

Colocar los ojos de seguridad y rellenar con algodón sintético.

Vuelta 20: 6 disminuciones.

Cerrar el tejido.

CUERPO

Vuelta 1: hacer un anillo mágico de 6 puntos bajos (6 puntos).

Materiales

Hilo de algodón o lana de color: blanco y negro • Aguja de ganchillo un poco más delgada que el grosor de la lana • Marcador de vueltas • Tijeras • Algodón sintético • Aguja lanera • Ojos de seguridad • Hilo marrón grueso • Un cascabel metálico

Combinar colores vivos en los detalles (la nariz, el collar, el cascabel) le da vida a este personaje en blanco y negro.

Vuelta 2: 1 aumento en todos los puntos bajos de la vuelta anterior (12 puntos).

Vuelta 3: 1 punto bajo, 1 aumento. Repetir hasta el final de la vuelta (18 puntos).

Vuelta 4: 2 puntos bajos, 1 aumento. Repetir hasta el final de la vuelta (24 puntos).

Vuelta 5: 3 puntos bajos, 1 aumento. Repetir hasta el final de la vuelta (30 puntos).

Vueltas 6 a 12: 1 punto bajo en todos los puntos de la vuelta anterior (30 puntos).

Vuelta 13: 3 puntos, 1 disminución. Repetir hasta el final de la vuelta (24 puntos).

Vuelta 14: 2 puntos bajos, 1 disminución. Repetir hasta el final de la vuelta (18 puntos).

Rellenar con algodón sintético.

Vuelta 15: 1 punto bajo, 1 disminución. Repetir hasta el final de la vuelta (12 puntos).

Vuelta 16: 6 disminuciones. Cerrar el tejido.

PIERNAS

Hacer dos iguales

Vuelta 1: hacer un anillo mágico de 6 puntos bajos (6 puntos).

Vuelta 2: 1 aumento, 1 punto bajo. Repetir hasta el final de la vuelta (12 puntos).

Vuelta 3: 1 punto bajo, 1 aumento. Repetir hasta el final de la vuelta (18 puntos).

Vuelta 4: 2 puntos bajos, 1 aumento. Repetir hasta el final de la vuelta (24 puntos).

Vueltas 5 a 8: 1 punto bajo en todos los puntos de la vuelta anterior (24 puntos).

Vuelta 9: 2 puntos bajos, 1 disminución. Repetir hasta el final de la vuelta (18 puntos).

Vuelta 10: 1 punto bajo, 1 disminución. Repetir hasta el final de la vuelta (12 puntos).

Vueltas 11 a 14: 1 punto bajo en todos los puntos de la vuelta anterior (12 puntos).

Cerrar el tejido y dejar una hebra para coser al cuerpo. Rellenar el interior con algodón sintético.

BRAZOS

Hacer dos iguales

Vuelta 1: hacer un anillo mágico de 6 puntos bajos (6 puntos).

Vuelta 2: 1 aumento, 1 punto bajo. Repetir hasta el final de la vuelta (12 puntos).

Vuelta 3: 1 punto bajo, 1 aumento. Repetir hasta el final de la vuelta (18 puntos).

Vueltas 4 a 7: 1 punto bajo en todos los puntos de la vuelta anterior (18 puntos).

Vuelta 8: 1 punto bajo, 1 disminución. Repetir hasta el final de la vuelta (12 puntos).

Vueltas 9 a 17: 1 punto bajo en todos los puntos de la vuelta anterior (12 puntos).

Cerrar el tejido y dejar una hebra para coser al cuerpo. Rellenar con algodón sintético.

OREJAS

Usar color negro

Hacer dos iguales

Vuelta 1: hacer un anillo mágico de 6 puntos bajos (6 puntos).

Vuelta 2: 1 aumento en todos los puntos (12 puntos).

Vueltas 3 a 10: 1 punto en todos los puntos de la vuelta anterior.

Cerrar con un punto deslizado y dejar una hebra larga para coser a la cabeza.

NARIZ

Usar color blanco

Vuelta 1: hacer un anillo mágico de 6 puntos (6 puntos).

Vuelta 2: 1 aumento en todos los puntos de la vuelta anterior (12 puntos).

Vuelta 3: 1 punto bajo en todos los puntos de la vuelta anterior (12 puntos).

Cerrar el tejido y dejar un trozo largo de hilo para poder coser. Bordar después la nariz con hilo marrón.

MANCHAS

Usar color negro

Con color negro y la aguja lanera, bordar las manchas a nuestro gusto tomando los puntos como base.

Koala

De entre todos los animales exóticos y salvajes, ninguno expresa con tanta nitidez el sentimiento de ternura como el koala. En su ambiente natural es un animal tranquilo y dormilón, pero nuestro koala de amigurumi parece mucho más despierto, gracioso y hasta colorido, aunque hemos elegido tonos pasteles. La idea de añadir unos corazones de ganchillo es encantadora.

CABEZA

Utilizar color marrón

Vuelta 1: hacer un anillo mágico de 6 puntos bajos (6 puntos).

Vuelta 2: 1 aumento en todos los puntos bajos de la vuelta anterior (12 puntos).

Vuelta 3: 1 punto bajo, 1 aumento. Repetir hasta el final de la vuelta (18 puntos).

Vuelta 4: 2 puntos bajos, 1 aumento. Repetir hasta el final de la vuelta (24 puntos).

Vuelta 5: 3 puntos bajos, 1 aumento. Repetir hasta el final de la vuelta (30 puntos).

Vuelta 6: 4 puntos bajos, 1 aumento. Repetir hasta el final de la vuelta (36 puntos).

Vuelta 7: 5 puntos bajos, 1 aumento. Repetir hasta el final de la vuelta (42 puntos).

Vueltas 8 a 14: 1 punto bajo en todos los puntos de la vuelta anterior (42 puntos).

Vuelta 15: 5 puntos bajos, 1 disminución. Repetir hasta el final de la vuelta (36 puntos).

Vuelta 16: 4 puntos bajos, 1 disminución. Repetir hasta el final de la vuelta (30 puntos).

Vuelta 17: 3 puntos bajos, 1 disminución. Repetir hasta el final de la vuelta (24 puntos).

Vuelta 18: 2 puntos bajos, 1 disminución. Repetir hasta el final de la vuelta (18 puntos).

Vuelta 19: 1 punto bajo, 1 disminución. Repetir hasta el final de la vuelta (12 puntos).

Colocar los ojos de seguridad y rellenar con algodón sintético.

Vuelta 20: 6 disminuciones.

Cerrar el tejido.

CUERPO

Usar color marrón

Vuelta 1: hacer un anillo mágico de 6 puntos bajos (6 puntos).

Materiales

Hilo de algodón o lana de color: marrón, malva, rosa y rojo •
Aguja de ganchillo un poco más delgada que el grosor de la lana •
Marcador de vueltas • Tijeras • Algodón sintético • Aguja lanera •
Ojos de seguridad

Este amigurumi
es el que más se
ajusta al modelo
japonés original:
cabeza muy grande y
cuerpo pequeñito.

Vuelta 2: 1 aumento en todos los puntos bajos de la vuelta anterior (12 puntos).

Vuelta 3: 1 punto bajo, 1 aumento. Repetir hasta el final de la vuelta (18 puntos).

Vuelta 4: 2 puntos bajos, 1 aumento. Repetir hasta el final de la vuelta (24 puntos).

Cambiar a color rosa.

Vuelta 5: 3 puntos bajos, 1 aumento. Repetir hasta el final de la vuelta (30 puntos).

Usar color malva

Vueltas 6 y 7: 1 punto bajo en todos los puntos de la vuelta anterior (30).

Usar color rosa

Vuelta 8: 1 punto bajo en todos los puntos de la vuelta anterior (30).

Usar color malva

Vuelta 9: 1 punto bajo en todos los puntos de la vuelta anterior (30).

Usar color rosa

Vuelta 10: 3 puntos, 1 disminución. Repetir hasta el final de la vuelta (24 puntos).

Vuelta 11: 2 puntos bajos, 1 disminución. Repetir hasta el final de la vuelta (18 puntos).

Rellenar con algodón sintético.

Vuelta 12: 1 punto bajo, 1 disminución. Repetir hasta el final de la vuelta (12 puntos).

Vuelta 13: 6 disminuciones.

Cerrar el tejido y dejar una hebra para coser al cuerpo.

PIERNAS

Hacer dos iguales
Usar color marrón

Vuelta 1: hacer un anillo mágico de 6 puntos bajos (6 puntos).

Vuelta 2: 1 aumento, 1 punto bajo. Repetir hasta el final de la vuelta (9 puntos).

Vueltas 3 a 7: 1 punto bajo en todos los puntos de la vuelta anterior (9 puntos).

Cerrar el tejido y dejar una hebra para coser al cuerpo. Rellenar con algodón sintético.

BRAZOS

Hacer dos iguales

Usar color marrón

Vuelta 1: hacer un anillo mágico de 6 puntos bajos (6 puntos).

Vuelta 2: 1 aumento, 1 punto bajo. Repetir hasta el final de la vuelta (9 puntos).

Vueltas 3 a 6: 1 punto bajo en todos los puntos de la vuelta anterior (9 puntos).

Cerrar el tejido y dejar una hebra para coser al cuerpo. Rellenar con algodón sintético.

OREJAS

Hacer dos iguales

Vuelta 1: hacer un anillo mágico de 6 puntos bajos (6 puntos).

Vuelta 2: 1 aumento en todos los puntos (12 puntos).

Vueltas 3 a 5: 1 punto en todos los puntos de la vuelta anterior.

Cerrar con un punto deslizado y dejar una hebra larga para coser a la cabeza.

NARIZ

Usar color rojo

Vuelta 1: hacer un anillo mágico de 6 puntos (6 puntos).

Vuelta 2: 1 aumento en todos los puntos de la vuelta anterior (12 puntos).

Vuelta 3: 1 punto bajo en todos los puntos de la vuelta anterior (12 puntos).

Cerrar el tejido y dejar un trozo largo de hilo para poder coser.

COLA

Usar color marrón

Vuelta 1: hacer un anillo mágico de 6 puntos (6 puntos).

Vuelta 2: 1 aumento en todos los puntos de la vuelta anterior (12 puntos).

Vueltas 3 a 6: 1 punto bajo en todos los puntos de la vuelta anterior (12 puntos).

Vuelta 7: 1 punto bajo, 1 disminución. Repetir hasta el final de la vuelta (6 puntos).

Cerrar el tejido y dejar un trozo largo de hilo para poder coser. Rellenar con algodón sintético.

Elefantito

La ternura de este elefantito caracterizado como dormilón y la lana azul cielo con la que se ha hecho, lo convierten en el amiguito ideal para un bebé de cuna. El elefante tiene, además, la connotación de ser portador de buena suerte como amuleto hindú. Se supone que otorga sabiduría, paciencia, prosperidad y larga vida a su dueño…
¿Qué más podemos desear para un recién nacido?

CABEZA

Usar color blanco

Vuelta 1: hacer un anillo mágico de 8 puntos bajos (8 puntos).

Usar color azul

Vuelta 2: 1 aumento en todos los puntos bajos de la vuelta anterior (16 puntos).

Vuelta 3: 1 punto bajo tomado el bucle de atrás de la cadeneta (16 puntos).

Vueltas 4 a 10: 1 punto bajo en todos los puntos de la vuelta anterior (16 puntos).

Vuelta 11: 3 puntos bajos, 1 aumento. Repetir hasta el final de la vuelta (20 puntos).

Vuelta 12: 4 puntos bajos, 1 aumento. Repetir hasta el final de la vuelta (24 puntos).

Vuelta 13: 5 puntos bajos, 1 aumento. Repetir hasta el final de la vuelta (28 puntos).

Vuelta 14: 6 puntos bajos, 1 aumento. Repetir hasta el final de la vuelta (32 puntos).

Vuelta 15: 2 puntos bajos, 1 aumento. Repetir hasta el final de la vuelta (42 puntos).

Vuelta 16: 3 puntos bajos, 1 aumento. Repetir hasta el final de la vuelta (52 puntos).

Vuelta 17: 4 puntos bajos, 1 aumento. Repetir hasta el final de la vuelta (62 puntos).

Vueltas 18 a 22: 1 punto bajo en todos los puntos de la vuelta anterior (62 puntos).

Vuelta 23: 4 puntos bajos, 1 disminución. Repetir hasta el final de la vuelta (52 puntos).

Vuelta 24: 3 puntos bajos, 1 disminución. Repetir hasta el final de la vuelta (42 puntos).

Vuelta 25: 2 puntos bajos, 1 disminución. Repetir hasta el final de la vuelta (32 puntos).

Vuelta 26: 1 punto bajo, 1 disminución. Repetir hasta el final de la vuelta (22 puntos).

Materiales

Hilo de algodón o lana de
color: azul y blanco •
Aguja de ganchillo un poco
más delgada que el grosor
de la lana • Marcador
de vueltas • Tijeras
• Algodón sintético
• Aguja lanera •
Hilo negro

Las flores son un
sencillo anillo mágico
con varias vueltas,
cosido a las patas o
la cabeza.

Rellenar con algodón sintético asegurándose de que la trompa y la cabeza quedan firmes.

Vuelta 27: tejer dos puntos bajos juntos. Repetir hasta el final de la vuelta (11 puntos).

Vuelta 28: tejer dos puntos bajos juntos. Repetir hasta el final y cerrar la cabeza.

Bordar con hilo negro los ojitos cerrados y las pestañas.

CUERPO
Usar color azul

Vuelta 1: hacer un anillo mágico de 6 puntos bajos (6 puntos).

Vuelta 2: 1 aumento en todos los puntos bajos de la vuelta anterior (12 puntos).

Vuelta 3: 1 punto, 1 aumento. Repetir hasta el final de la vuelta (18 puntos).

Vuelta 4: 2 puntos, 1 aumento. Repetir hasta el final de la vuelta (24 puntos).

Vuelta 5: 3 puntos, 1 aumento. Repetir hasta el final de la vuelta (30 puntos).

Vuelta 6: 4 puntos, 1 aumento. Repetir hasta el final de la vuelta (36 puntos).

Vuelta 7: 5 puntos, 1 aumento. Repetir hasta el final de la vuelta (42 puntos).

Vuelta 8: 6 puntos, 1 aumento. Repetir hasta el final de la vuelta (48 puntos).

Vuelta 9: 7 puntos, 1 aumento. Repetir hasta el final de la vuelta (54 puntos).

Vuelta 10: 8 puntos, 1 aumento. Repetir hasta el final de la vuelta (60 puntos).

Vueltas 11 a 14: 1 punto bajo en todos los puntos de la vuelta anterior (60 puntos).

Vuelta 15: 8 puntos, 1 disminución. Repetir hasta el final de la vuelta (54 puntos).

Vuelta 16: 1 punto bajo en todos los puntos de la vuelta anterior (54 puntos).

Vuelta 17: 7 puntos, 1 disminución. Repetir hasta el final de la vuelta (48 puntos).

Vuelta 18: 1 punto bajo en todos los puntos de la vuelta anterior (48 puntos).

Vuelta 19: 6 puntos, 1 disminución. Repetir hasta el final de la vuelta (42 puntos).

Vuelta 20: 1 punto bajo en todos los puntos de la vuelta anterior (42 puntos).

Vuelta 21: 5 puntos, 1 disminución. Repetir hasta el final de la vuelta (36 puntos).

Vuelta 22: 1 punto bajo en todos los puntos de la vuelta anterior (36 puntos).

Vuelta 23: 4 puntos, 1 disminución. Repetir hasta el final de la vuelta (30 puntos).

Vuelta 24: 1 punto bajo en todos los puntos de la vuelta anterior (30 puntos).

Vuelta 25: 3 puntos, 1 disminución. Repetir hasta el final de la vuelta (24 puntos).

Vuelta 26: 2 puntos, 1 disminución. Repetir hasta el final de la vuelta (18 puntos).

Vuelta 27: 1 punto bajo en todos los puntos de la vuelta anterior (12 puntos).

Rellenar con algodón sintético.

Vuelta 28: 6 disminuciones (6 puntos).

Cerrar el tejido.

PATAS

Hacer cuatro iguales

Usar color blanco

Vuelta 1: hacer un anillo mágico de 8 puntos bajos (8 puntos).

Vuelta 2: 1 punto bajo, 1 aumento. Repetir hasta el final de la vuelta (12 puntos).

Vuelta 3: 1 punto, 1 aumento. Repetir hasta el final de la vuelta (18 puntos).

Vuelta 4: 2 puntos, 1 aumento. Repetir hasta el final de la vuelta (24 puntos).

Vuelta 5: 3 puntos, 1 aumento. Repetir hasta el final de la vuelta (30 puntos).

Usar color azul

Vueltas 6 a 20: 1 punto bajo en todos los puntos de la vuelta anterior (30 puntos).

Cerrar la vuelta y dejar una hebra larga para coser al cuerpo. Rellenar con algodón sintético y cuidar de que queden muy firmes.

OREJAS

Hacer dos iguales

Usar color blanco

Vuelta 1: hacer un anillo mágico de 6 puntos bajos (6 puntos).

Vuelta 2: 1 aumento en todos los puntos bajos de la vuelta anterior (12 puntos).

Vuelta 3: 1 punto, 1 aumento. Repetir hasta el final de la vuelta (18 puntos).

Vuelta 4: 2 puntos, 1 aumento. Repetir hasta el final de la vuelta (24 puntos).

Vuelta 5: 3 puntos, 1 aumento. Repetir hasta el final de la vuelta (30 puntos).

Vuelta 6: 4 puntos, 1 aumento. Repetir hasta el final de la vuelta (36 puntos).

Vuelta 7: 5 puntos, 1 aumento. Repetir hasta el final de la vuelta (42 puntos).

Usar color azul

Vuelta 8: 6 puntos, 1 aumento. Repetir hasta el final de la vuelta (48 puntos).

Vuelta 9: 1 punto bajo en todos los puntos de la vuelta anterior (48 puntos).

Cerrar el tejido y dejar una hebra larga para coserlo al cuerpo.

COLA

Vuelta 1: hacer un anillo mágico de 6 puntos bajos (6 puntos).

Vueltas 2 a 6: 1 punto bajo en todos los puntos de la vuelta anterior (6 puntos).

Cerrar el tejido y dejar una hebra para coserlo al cuerpo.

Elefante vestido

Otro modelo de elefante, menos tierno, pero mucho más simpático, quizá para niños más mayores. En esta ocasión va «vestido» con un conjunto marinero y está construido para quedarse en pie, por lo que cuando se rellene, es recomendable añadirle al fondo de las patas algún elemento algo más pesado y consistente, como por ejemplo, unas legumbres o arroz.

CABEZA

Usar color blanco

Vuelta 1: hacer un anillo mágico de 6 puntos bajos (6 puntos).

Usar color gris

Vuelta 2: 1 aumento en todos los puntos bajos de la vuelta anterior (12 puntos).

Vuelta 3: 1 punto bajo tomado el bucle de atrás de la cadeneta (12 puntos).

Vueltas 4 a 10: 1 punto bajo en todos los puntos de la vuelta anterior (12 puntos).

Vuelta 11: 3 puntos bajos, 1 aumento. Repetir hasta el final de la vuelta (15 puntos).

Vuelta 12: 4 puntos bajos, 1 aumento. Repetir hasta el final de la vuelta (18 puntos).

Vuelta 13: 5 puntos bajos, 1 aumento. Repetir hasta el final de la vuelta (21 puntos).

Vuelta 14: 6 puntos bajos, 1 aumento. Repetir hasta el final de la vuelta (24 puntos).

Vuelta 15: 2 puntos bajos, 1 aumento. Repetir hasta el final de la vuelta (32 puntos).

Vuelta 16: 3 puntos bajos, 1 aumento. Repetir hasta el final de la vuelta (40 puntos).

Vuelta 17: 4 puntos bajos, 1 aumento. Repetir hasta el final de la vuelta (48 puntos).

Vueltas 18 a 22: 1 punto bajo en todos los puntos de la vuelta anterior (48 puntos).

Vuelta 23: 4 puntos bajos, 1 disminución. Repetir hasta el final de la vuelta (40 puntos).

Vuelta 24: 3 puntos bajos, 1 disminución. Repetir hasta el final de la vuelta (32 puntos).

Vuelta 25: 2 puntos bajos, 1 disminución. Repetir hasta el final de la vuelta (24 puntos).

Los ratoncillos de amigurumi son el complemento perfecto para este valiente elefante.

Materiales

Hilo de algodón o lana de color: gris, azul marino, amarillo y blanco • Aguja de ganchillo un poco más delgada que el grosor de la lana • Marcador de vueltas • Tijeras • Algodón sintético • Aguja lanera • Ojos de seguridad

Vuelta 26: 1 punto bajo, 1 disminución. Repetir hasta el final de la vuelta (16 puntos).

Colocar los ojos de seguridad. Rellenar con algodón sintético, asegurándose de que la trompa y la cabeza quedan firmes.

Vuelta 27: tejer dos puntos bajos juntos. Repetir hasta el final de la vuelta (8 puntos).

Vuelta 28: tejer dos puntos bajos juntos. Repetir hasta el final cerrar la cabeza.

PIERNAS

Hacer dos iguales

Usar color gris

Vuelta 1: hacer un anillo mágico de 6 puntos bajos (6 puntos).

Vuelta 2: 1 aumento en todos los puntos de la vuelta anterior (12 puntos).

Vuelta 3: 1 punto bajo 1 aumento. Repetir hasta el final de la vuelta (18 puntos).

Vuelta 4: 2 puntos bajos, 1 aumento. Repetir hasta el final de la vuelta (24 puntos).

Vuelta 5: tejer la vuelta tomado el bucle de atrás de la cadeneta (24 puntos).

Usar color azul marino

Vuelta 6: 2 puntos bajos, 1 disminución. Repetir hasta el final de la vuelta (18 puntos).

Vuelta 7: 1 disminución (2 veces), 16 puntos bajos (16 puntos).

Vueltas 8 a 10: 1 punto bajo en todos los puntos de la vuelta anterior (16 puntos).

CUERPO

Vuelta 1: unir las dos piernas tejiendo 8 puntos bajos juntos y dejando en total 24 puntos.

Vuelta 2: seguir tejiendo alrededor de los 24 puntos para formar el cuerpo.

Vuelta 3: tejer 3 puntos bajos, 1 aumento. Repetir hasta el final de la vuelta (30 puntos).

Vuelta 4: tejer 4 puntos bajos, 1 aumento. Repetir hasta el final de la vuelta (36 puntos).

Vuelta 5: tejer 5 puntos bajos, 1 aumento. Repetir hasta el final de la vuelta (42 puntos).

Vueltas 6 a 13: 1 punto bajo en todos los puntos de la vuelta anterior (42 puntos).

Usar color amarillo

Vuelta 14: 2 puntos bajos, 1 disminución. Repetir hasta el final de la vuelta (32 puntos).

Vuelta 15: 1 punto bajo en todos los puntos de la vuelta anterior (22 puntos).

Vuelta 16: 1 punto bajo, 1 disminución. Repetir hasta el final de la vuelta (11 puntos).

Vuelta 17: 5 disminuciones (6 puntos).

Rellenar con algodón sintético y cerrar.

BRAZOS

Hacer dos iguales
Usar color gris

Vuelta 1: hacer un anillo mágico de 4 puntos bajos (4 puntos).

Vuelta 2: 1 aumento en todos los puntos de la vuelta anterior (8 puntos).

Vuelta 3: 1 punto bajo, 1 aumento. Repetir hasta el final de la vuelta (12 puntos).

Usar color amarillo

Vuelta 4: 2 puntos bajos, 1 aumento. Repetir hasta el final de la vuelta (18 puntos).

Vueltas 5 a 7: 1 punto bajo en todos los puntos de la vuelta anterior (18 puntos).

Usar color blanco

Vueltas 8 a 12: 1 punto bajo en todos los puntos de la vuelta anterior (18 puntos).

Usar color amarillo

Vueltas 13 a 16: 1 punto bajo en todos los puntos de la vuelta anterior (18 puntos).

Cerrar tejido. Dejar una hebra larga para coser al cuerpo. Rellenar con algodón sintético.

OREJAS

Hacer dos iguales
Usar color gris

Vuelta 1: hacer un anillo mágico de 6 puntos (6 puntos).

Vuelta 2: 1 aumento en todos los puntos de la vuelta anterior (12 puntos).

Vuelta 3: 1 punto bajo, 1 aumento en todos los puntos de la vuelta anterior (18 puntos).

Vueltas 4 a 8: 1 punto bajo en todos los puntos de la vuelta anterior (18 puntos).

Cerrar el tejido y dejar un trozo largo de hilo para coser las orejas a la cabeza.

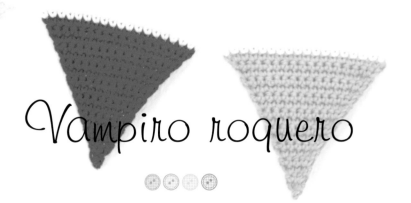

Vampiro roquero

Esta figurita que representa a un monstruo parecido a una rana, pero al estilo vampiro y vestida a todo color, entra en la corriente estética gótica incluso dentro de las preferencias infantiles, en cuyo caso se resta la parte terrorífica y se añade un poco de simpatía a personajes fantásticos que, aunque proceden de lo horroroso, como el vampiro, terminan siendo tan entrañables como nuestro pequeño monstruo.

CABEZA

Usar color rosa chicle

Vuelta 1: hacer un anillo mágico de 6 puntos bajos (6 puntos).

Vuelta 2: 1 aumento en todos los puntos bajos de la vuelta anterior (12 puntos).

Vuelta 3: 1 punto bajo, 1 aumento. Repetir hasta el final de la vuelta (18 puntos).

Vuelta 4: 2 puntos bajos, 1 aumento. Repetir hasta el final de la vuelta (24 puntos).

Vuelta 5: 3 puntos bajos, 1 aumento. Repetir hasta el final de la vuelta (30 puntos).

Vuelta 6: 4 puntos bajos, 1 aumento. Repetir hasta el final de la vuelta (36 puntos).

Vuelta 7: 5 puntos bajos, 1 aumento. Repetir hasta el final de la vuelta (42 puntos).

Usar color verde

Vueltas 8 a 14: 1 punto bajo en todos los puntos de la vuelta anterior (42 puntos).

Vuelta 15: 5 puntos bajos, 1 disminución. Repetir hasta el final de la vuelta (36 puntos).

Vuelta 16: 4 puntos bajos, 1 disminución. Repetir hasta el final de la vuelta (30 puntos).

Vuelta 17: 3 puntos bajos, 1 disminución. Repetir hasta el final de la vuelta (24 puntos).

Vuelta 18: 2 puntos bajos, 1 disminución. Repetir hasta el final de la vuelta (18 puntos).

Vuelta 19: 1 punto bajo, 1 disminución. Repetir hasta el final de la vuelta (12 puntos).

Rellenar con algodón sintético.

Vuelta 20: 6 disminuciones. Cerrar el tejido dejando una hebra larga para coser al cuerpo.

CRESTA

Con hilo azul, hacer 10 cadenetas.

Si queremos regalar este amigurumi a una adolescente podemos usar colores más siniestros y menos ácidos.

Materiales

Hilo de algodón de colores metalizados: verde, azul, naranja, rosa chicle. Hilo de color negro y blanco • Aguja de ganchillo un poco más delgada que el grosor del hilo • Marcador de vueltas • Tijeras • Algodón sintético • Aguja lanera • Ojos de seguridad

Bordar los colmillos hacia arriba resta una parte terrorífica a la figura. Parece más un monstruito que un vampiro.

Tejer 4 vueltas de punto bajo y coser a la cabeza a la manera de una cresta de estilo punk.

CUERPO

Usar color verde

Vuelta 1: hacer un anillo mágico de 6 puntos bajos (6 puntos).

Vuelta 2: 1 aumento en todos los puntos bajos de la vuelta anterior (12 puntos).

Vuelta 3: 1 punto bajo, 1 aumento. Repetir hasta el final de la vuelta (18 puntos).

Vuelta 4: 2 puntos bajos, 1 aumento. Repetir hasta el final de la vuelta (24 puntos).

Vuelta 5: 3 puntos bajos, 1 aumento. Repetir hasta el final de la vuelta (30 puntos).

Vueltas 6 a 11: 1 punto bajo en todos los puntos de la vuelta anterior (30 puntos).

Vuelta 12: 3 puntos bajos, 1 disminución. Repetir hasta el final de la vuelta (24 puntos).

Vueltas13 a 16: 1 punto bajo en todos los puntos de la vuelta anterior (24 puntos).

Vuelta 17: 2 puntos bajos, 1 disminución. Repetir hasta el final de la vuelta (18 puntos).

Vueltas 18 a 20: 1 punto bajo en todos los puntos de la vuelta anterior (18 puntos).

Vuelta 21: 1 punto bajo, 1 disminución. Repetir hasta el final de la vuelta (12 puntos).

Vuelta 22: 1 punto bajo en todos los puntos de la vuelta anterior (12 puntos).

Rellenar con algodón sintético.

Vuelta 23: 6 disminuciones. Cerrar el tejido.

PIERNAS

Hacer dos iguales

Usar color rosa chicle

Vuelta 1: hacer un anillo mágico de 4 puntos bajos (4 puntos).

Vuelta 2: 1 aumento 1 punto bajo. Repetir hasta el final de la vuelta (8 puntos).

Vuelta 3: 1 punto bajo, 1 aumento. Repetir hasta el final de la vuelta (12 puntos).

Vuelta 4: 2 puntos bajos, 1 aumento. Repetir hasta el final de la vuelta (16 puntos).

Vuelta 5: 3 puntos bajos, 1 aumento. Repetir hasta el final de la vuelta (20 puntos).

Vuelta 6: 4 puntos bajos, 1 aumento. Repetir hasta el final de la vuelta (24 puntos).

Usar color naranja

Vueltas 7 a 14: 1 punto bajo en todos los puntos de la vuelta anterior (24 puntos).

Cerrar el tejido y dejar una hebra para coser al cuerpo. Rellenar bien con algodón sintético.

BRAZOS

Hacer dos iguales. Usar dos colores: rosa chicle y naranja (se puede usar la técnica del Jacquard para trabajar con los hilos y que la pieza quede mejor)

Con rosa chicle

Vuelta 1: hacer un anillo mágico de 6 puntos bajos (6 puntos).

Vuelta 2: 1 aumento, 1 punto bajo. Repetir hasta el final de la vuelta (12 puntos).

Vuelta 3: 1 punto bajo, 1 aumento. Repetir hasta el final de la vuelta (18 puntos).

Vuelta 4: tejer 8 puntos con color rosa y en el 9 empezar con el color naranja. (18 puntos).

Vueltas 5 a 12: 1 punto bajo en todos los puntos de la vuelta anterior (18 puntos).

Vuelta 13: 1 punto bajo, 1 disminución. Repetir hasta el final de la vuelta (12 puntos).

Rellenar con algodón sintético.

Vueltas 14 a 16: 1 punto bajo en todos los puntos de la vuelta anterior (12 puntos).

Vuelta 17: 6 disminuciones (6 puntos).

Cerrar tejido y dejar una hebra para coser.

OJOS

Usar color negro

Vuelta 1: hacer un anillo mágico de 6 puntos bajos (6 puntos).

Vuelta 2: 1 aumento en todos los puntos bajos de la vuelta anterior (12 puntos).

Usar color blanco

Vuelta 3: 1 punto bajo en todos los puntos de la vuelta anterior (12).

Terminar el tejido y dejar una hebra larga para coser a la cabeza. Con hilo blanco, bordar la parte interna del ojo.

CAPA

Usar color azul

Vuelta 1: tejer 18 cadenetas.

Vuelta 2: 1 punto alto en cada una de las cadenetas (18 puntos altos).

Vuelta 3: 1 punto alto en cada una de las cadenetas (18 puntos altos).

Vuelta 4: 1 aumento en cada punto de la vuelta anterior (36 puntos altos).

Vuelta 5: 1 punto, 1 aumento. Repetir hasta el final de la vuelta (36 puntos).

Vuelta 6: 9 puntos, 1 aumento. Repetir hasta el final de la vuelta (40 puntos).

Vueltas 7 a 21: 1 punto alto en cada una de las cadenetas (40 puntos altos).

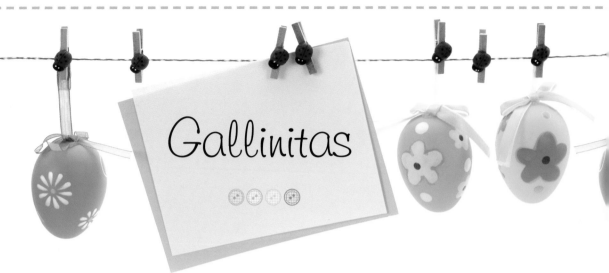

El motivo campestre de las gallinas cluecas con sus huevos es la representación universal de la familia y la maternidad, del hogar y del mundo natural. Como adorno en la cocina, como presentación decorativa de la mesa durante la Pascua o para alegrar cualquier comida infantil, aprendamos a tejer gallinitas y huevos de crochet y convirtamos estos amigurumis en un elemento decorativo de la casa.

Gallina

Vuelta 1: hacer un anillo mágico de 10 medios puntos (10 puntos).

Vuelta 2: 1 aumento en todos los puntos de la vuelta anterior (20 puntos).

Vueltas 3 a 8: 1 aumento en todos los puntos de la vuelta anterior (20 puntos).

Vuelta 9: tejer 10 puntos y cerrarlos para formar la cabeza.

Rellenar con algodón sintético. Cerrar el cuerpo.

La cresta permite técnicas de crochet de fantasía, como el punto piña, el punto abanico, el punto picot o el punto red.

Para la cresta

Vuelta 1: con hilo de otro color (si la gallina es roja, con amarillo y viceversa), hacer 6 puntos bajos en el borde de la cabeza.

Vuelta 2: tejer 3 puntos bajos en cada uno de los 6 puntos anteriores.

Para la cola

1. En la parte de atrás, hacer una cadeneta tomando los dos últimos puntos y unimos en el mismo sitio donde empezamos, formando un anillo.

2. Dentro del anillo, hacemos 4 puntos altos dobles, 8 medios puntos.

3. Después, tejemos una vuelta de puntos bajos en cada uno de los puntos anteriores.

Materiales

Hilo de algodón o lana de color: rojo y amarillo • Aguja de ganchillo un poco más delgada que el grosor de la lana • Marcador de vueltas • Tijeras • Algodón sintético • Aguja lanera

Huevos

La figura del huevo probablemente sea la más sencilla de hacer de cuantos amigurumis presentamos en este libro, por lo que es la ideal para iniciarse en esta técnica. Por su sencilla forma ovalada básica y porque se usa un solo color, no nos resultará nada complicado hacer un huevo perfecto siguiendo las instrucciones.

HUEVO

Vuelta 1: hacer un anillo mágico de 9 puntos bajos (9 puntos).

Vuelta 2: 2 puntos bajos, 1 aumento. Repetir hasta el final de la vuelta (12 puntos).

Vuelta 3: 2 puntos bajos, 1 aumento. Repetir hasta el final de la vuelta (16 puntos).

Vuelta 4: 3 puntos bajos, 1 aumento. Repetir hasta el final de la vuelta (20 puntos).

Vuelta 5: 3 puntos bajos, 1 aumento. Repetir hasta el final de la vuelta (25 puntos).

Vuelta 6: 4 puntos bajos, 1 aumento. Repetir hasta final de la vuelta (30 puntos).

Vuelta 7: 5 puntos bajos, 1 aumento. Repetir hasta el final de la vuelta (35 puntos).

Vuelta 8: 1 punto bajo en todos los puntos de la vuelta anterior (35 puntos).

Vuelta 9: 6 puntos bajos, 1 aumento. Repetir hasta el final de la vuelta (40 puntos).

Vueltas 10 a 18: 1 punto bajo en todos los puntos de la vuelta anterior (40 puntos).

Vuelta 19: 6 puntos bajos, 1 disminución. Repetir hasta el final de la vuelta (35 puntos).

Vuelta 20: 3 puntos bajos, 1 disminución. Repetir hasta el final de la vuelta (28 puntos).

Vuelta 21: 2 puntos bajos, 1 disminución. Repetir hasta final de la vuelta (21 puntos).

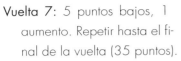

Materiales

Hilo de algodón o lana de diferentes colores • Aguja de ganchillo un poco más delgada que el grosor de la lana • Marcador de vueltas • Tijeras • Algodón sintético • Aguja lanera

Vuelta 22: 1 punto bajo, 1 disminución. Repetir hasta el final de la vuelta (14 puntos).

Rellenar con algodón sintético.

Vuelta 23: 7 disminuciones.

Cerrar el tejido, y perder la hebra sobrante.

La huerta

Este precioso conjunto de frutas y verduras en crochet
es verdaderamente una pequeña obra de arte. Pieza por pieza, puede
decirse que cada una de las frutas o verduras es un amigurumi por
separado y como tal los vamos a tratar. Pueden colocarse todas juntas
y formar un original centro de mesa en la cocina, pero también usarse
por separado como elementos decorativos de cocina, comedor
o despensa, sobre todo en casas rústicas.

Cambiando los colores de la lana obtendremos una huerta mucho más variada sin tener que cambiar los patrones.

Materiales

Hilo de algodón o lana de color: naranja, marrón, verde claro y oscuro • Aguja de ganchillo un poco más delgada que el grosor de la lana • Marcador de vueltas • Tijeras • Algodón sintético • Aguja lanera

Coliflor

La verdura más grande de nuestro cesto merece especial atención. Vamos a comenzar con un diseño circular, como siempre, para hacer el interior, pero después habrá que fabricar las hojas y unir todo el conjunto dándole su peculiar forma. El centro puede hacerse también con lana de color blanco sin que desentone en absoluto.

COLIFLOR

Usar color verde claro

Vuelta 1: hacer un anillo mágico de 6 puntos bajos (6 puntos).

Vuelta 2: 1 aumento en todos los puntos bajos de la vuelta anterior (12 puntos).

Vuelta 3: 1 punto bajo, 1 aumento. Repetir hasta el final de la vuelta (18 puntos).

Vuelta 4: 2 puntos bajos, 1 aumento. Repetir hasta el final de la vuelta (24 puntos).

Vuelta 5: 3 puntos bajos, 1 aumento. Repetir hasta el final de la vuelta (30 puntos).

Vuelta 6: 4 puntos bajos, 1 aumento. Repetir hasta el final de la vuelta (36 puntos).

Vuelta 7: 5 puntos bajos, 1 aumento. Repetir hasta el final de la vuelta (42 puntos).

Vuelta 8: 6 puntos bajos, 1 aumento. Repetir hasta el final de la vuelta (48 puntos).

Vuelta 9: 7 puntos bajos, 1 aumento. Repetir hasta el final de la vuelta (54 puntos).

Vuelta 10: 8 puntos bajos, 1 aumento. Repetir hasta el final de la vuelta (60 puntos).

Vueltas 11 a 20: 1 punto bajo en todos los puntos de la vuelta anterior (60 puntos).

Vuelta 21: 8 puntos bajos, 1 disminución. Repetir hasta el final de la vuelta (54 puntos)

Vuelta 22: 7 puntos bajos, 1 disminución. Repetir hasta el final de la vuelta (48 puntos)

Vuelta 23: 6 puntos bajos, 1 disminución. Repetir hasta el final de la vuelta (42 puntos).

Vuelta 24: 5 puntos bajos, 1 disminución. Repetir hasta el final de la vuelta (36 puntos).

Vuelta 25: 4 puntos bajos, 1 disminución. Repetir hasta el final de la vuelta (30 puntos).

Vuelta 26: 3 puntos bajos, 1 disminución. Repetir hasta el final de la vuelta (24 puntos).

Vuelta 27: 2 puntos bajos, 1 disminución. Repetir hasta el final de la vuelta (18 puntos).

Rellenar con algodón sintético.

Vuelta 28: 1 punto bajo, 1 disminución. Repetir hasta el final de la vuelta (12 puntos).

Vuelta 29: 6 disminuciones. Cerrar el tejido y perder la hebra sobrante.

Hojas
Usar color verde claro
(Hacer 9 hojas)

Vuelta 1: hacer un anillo mágico de 10 puntos bajos (10 puntos).

Vuelta 2: 1 aumento en todos los puntos bajos de la vuelta anterior (20 puntos).

Vuelta 3: 2 puntos bajos, 1 aumento. Repetir hasta el final de la vuelta (34 puntos).

Vueltas 4 y 5: 1 punto bajo en todos los puntos de la vuelta anterior (34 puntos).

Cerrar el tejido dando la vuelta con un punto deslizado y dejar una hebra larga para coser a la parte inferior de la bola central dándole la forma final de coliflor.

Manzana

La manzana es tan fácil de hacer como los huevos o las bolas de Navidad y permite mucha variación de colores, usando tonos verdes de distintas intensidades, rojos, amarillentos y blanquecinos, como el ejemplo que mostramos. Un simple cuenco o cesto lleno de manzanas de crochet puede decorar la mesa de la cocina.

MANZANA

Usar color rojo, verde o amarillo

Vuelta 1: hacer un anillo mágico de 6 puntos bajos (6 puntos).

Vuelta 2: 1 aumento en todos los puntos bajos de la vuelta anterior (12 puntos).

Vuelta 3: 1 punto bajo en todos los puntos de la vuelta anterior (12 puntos).

Vuelta 4: 1 punto bajo, 1 aumento. Repetir hasta el final de la vuelta (18 puntos).

Vuelta 5: 2 puntos bajos, 1 aumento. Repetir hasta el final de la vuelta (24 puntos).

Vuelta 6: 3 puntos bajos, 1 aumento. Repetir hasta el final de la vuelta (30 puntos).

Vuelta 7: 1 punto bajo en todos los puntos de la vuelta anterior (30 puntos).

Vuelta 8: 4 puntos bajos, 1 aumento. Repetir hasta el final de la vuelta (36 puntos).

Vueltas 9 a 12: 1 punto bajo en todos los puntos de la vuelta anterior (36 puntos).

Vuelta 13: 4 puntos bajos, 1 disminución. Repetir hasta el final de la vuelta (30 puntos).

Vuelta 14: 1 punto bajo en todos los puntos de la vuelta anterior (30 puntos).

Vuelta 15: 3 puntos bajos, 1 disminución. Repetir hasta el final de la vuelta (24 puntos).

Vuelta 16: 1 punto bajo en todos los puntos de la vuelta anterior (24 puntos).

Vuelta 17: 2 puntos bajos, 1 disminución. Repetir hasta el final de la vuelta (18 puntos).

Vueltas 18 y 19: 1 punto bajo en todos los puntos de la vuelta anterior (18 puntos).

Vuelta 20: 1 punto bajo, 1 disminución. Repetir hasta el final de la vuelta (12 puntos).

Rellenar con algodón sintético.

Vuelta 21: 6 disminuciones.

Cerrar el tejido y perder la hebra que queda de sobrante.

Tallo

Usar color marrón

Vuelta 1: hacer un anillo mágico de 4 puntos bajos (4 puntos).

Vuelta 2: tejer la vuelta tomado el bucle de atrás de la cadeneta (4 puntos).

Vueltas 3 a 6: 1 punto bajo en todos los puntos de la vuelta anterior (4 puntos).

Cerrar el tejido y dejar una hebra larga para coser a la manzana.

En algunas tiendas de manualidades venden figuras de poliespan con formas de frutas ya preparadas para pintar o decorar. Podemos usar una como base y meterla dentro en lugar del relleno. De ese modo, nos aseguraremos de que la manzana mantiene la forma exacta, mientras que con el relleno de algodón, tenemos que conseguir la figura dándole forma de manera manual, aunque ganamos mucho en volumen y tacto agradable.

Calabaza

La calabaza no solo es un elemento culinario o natural para adornar en casa, sino que es el motivo principal de la fiesta de Halloween. Esta misma calabaza, si le bordamos un rostro con hilo negro con ojos y nariz triangulares y una boca sonriente, puede servir perfectamente para colgar del techo durante la noche de las brujas.

CALABAZA

Usar color naranja

Vuelta 1: hacer un anillo mágico de 5 puntos bajos (5 puntos).

Vuelta 2: 1 aumento en todos los puntos bajos de la vuelta anterior (10 puntos).

Vuelta 3: 3 puntos bajos, 1 aumento. Repetir hasta el final de la vuelta (15 puntos).

Vuelta 4: 2 puntos bajos, 1 aumento. Repetir hasta el final de la vuelta (20 puntos).

Vuelta 5: 3 puntos bajos, 1 aumento. Repetir hasta el final de la vuelta (25 puntos).

Vuelta 6: 4 puntos bajos, 1 aumento. Repetir hasta el final de la vuelta (30 puntos).

Vuelta 7: 5 puntos bajos, 1 aumento. Repetir hasta el final de la vuelta (35 puntos).

Vuelta 8: 6 puntos bajos, 1 aumento. Repetir hasta el final de la vuelta (40 puntos).

Vuelta 9: 7 puntos bajos, 1 aumento. Repetir hasta el final de la vuelta (45 puntos).

Vuelta 10: 8 puntos bajos, 1 aumento. Repetir hasta el final de la vuelta (50 puntos).

Vueltas 11 a16: 1 punto bajo en todos los puntos de la vuelta anterior (50 puntos).

Vuelta 17: 8 puntos bajos, 1 disminución. Repetir hasta el final de la vuelta (45 puntos).

Vuelta 18: 7 puntos bajos, 1 disminución. Repetir hasta el final de la vuelta (40 puntos).

Vuelta 19: 6 puntos bajos, 1 disminución. Repetir hasta el final de la vuelta (35 puntos).

Vuelta 20: 5 puntos bajos, 1 disminución. Repetir hasta el final de la vuelta (30 puntos).

Vuelta 21: 4 puntos bajos, 1 disminución. Repetir hasta el final de la vuelta (25 puntos).

Vuelta 22: 3 puntos bajos, 1 disminución. Repetir hasta el final de la vuelta (20 puntos).

Vuelta 23: 2 puntos bajos, 1 disminución. Repetir hasta el final de la vuelta (15 puntos).

Rellenar con algodón sintético.

Vuelta 24: 1 punto bajo, 1 disminución. Repetir hasta el final de la vuelta (10 puntos).

Vuelta 25: Cerrar el tejido y dejar una hebra muy larga para hacer las divisiones de la calabaza.

Dar forma a la calabaza

Con la aguja lanera y la hebra larga que hemos dejado, seguimos estos pasos:

1. Con la aguja, atravesamos la calabaza por el centro hasta llegar al otro lado de la pieza.

2. Llevamos el hilo a un lateral y volvemos a insertar la aguja en el centro de la calabaza y la atravesamos hasta el otro lado de la pieza.

3. Tiramos firmemente de la hebra y repetimos nuevamente.

De esa manera hay que hacer cuatro divisiones. Cuando estén hechas, hacer un nudo para sujetar bien y que las divisiones no se deshagan.

Tallo

Usar color marrón

Vuelta 1: hacer un anillo mágico de 5 puntos bajos (5 puntos).

Vuelta 2: tejer la vuelta tomado el bucle de atrás de la cadeneta (5 puntos).

Vueltas 3 a 10: 1 punto bajo en todos los puntos de la vuelta anterior (5 puntos).

Cerrar el tejido y dejar una hebra larga para coser a la calabaza.

Para darle más forma, se puede rellenar también con algodón sintético.

Hoja

Usar color verde

Tejer 6 cadenetas.

1 punto bajo, 1 punto medio alto, 2 puntos altos, 1 punto medio alto, 1 punto bajo. Giramos el tejido y trabajamos por el otro lado de la cadeneta. 1 punto bajo, 1 punto medio alto, 2 puntos altos, 1 punto medio alto, 1 punto bajo.

Tejemos 4 cadenetas, y hacemos un punto deslizado en cada una de ellas. Unimos con un punto deslizado al primer punto bajo donde empezamos la hoja.

Cortamos hilo y dejamos hebra para coser a la calabaza.

Pera

Tan agradecida como la figura de la manzana, la pera es un proyecto sencillo y apto para principiantes, porque usa puntos básicos y un solo color en la parte principal. El rabito con la hoja es el único detalle que podemos añadir y nuestro consejo es no hacer solo una, sino un pequeño grupo de ellas para recrear la huerta en casa.

PERA

Usar color verde o amarillo

Vuelta 1: hacer un anillo mágico de 6 puntos bajos (6 puntos).

Vuelta 2: 1 aumento en todos los puntos bajos de la vuelta anterior (12 puntos).

Vuelta 3: 3 puntos bajos, 1 aumento. Repetir hasta el final de la vuelta (15 puntos).

Vuelta 4: 1 punto bajo en todos los puntos de la vuelta anterior (15 puntos).

Vuelta 5: 2 puntos bajos, 1 aumento, 2 puntos bajos (3 veces) (18 puntos).

Vueltas 6 a 9: 1 punto bajo en todos los puntos de la vuelta anterior (18 puntos).

Vuelta 10: 2 puntos bajos, 1 aumento. Repetir hasta el final de la vuelta (24 puntos).

Vuelta 11: 3 puntos bajos, 1 aumento. Repetir hasta el final de la vuelta (30 puntos).

Vueltas 12 y 13: 1 punto bajo en todos los puntos de la vuelta anterior (30 puntos).

Vuelta 14: 4 puntos bajos, 1 aumento. Repetir hasta completar el final de la vuelta (36 puntos).

Vueltas 15 a 17: 1 punto bajo en todos los puntos de la vuelta anterior (36 puntos).

Vuelta 18: 4 puntos bajos, 1 disminución. Repetir hasta el final de la vuelta (30 puntos).

Vuelta 19: 1 punto bajo en todos y cada uno de los puntos de la vuelta anterior (30 puntos).

Vuelta 20: 3 puntos bajos, 1 disminución. Repetir hasta el final de la vuelta (24 puntos).

Vuelta 21: 1 punto bajo en todos los puntos de la vuelta anterior (24 puntos).

Vuelta 22: 2 puntos bajos, 1 disminución. Repetir hasta el final de la vuelta (18 puntos).

Vuelta 23: 1 punto bajo, 1 disminución. Repetir hasta el final de la vuelta (12 puntos).

Rellenar con algodón sintético.

Vuelta 24: 6 disminuciones. Cerrar el tejido y perder la hebra sobrante.

TALLO

Usar color marrón

Vuelta 1: hacer un anillo mágico de 4 puntos bajos (4 puntos).

Vuelta 2: tejer la vuelta tomado el bucle de atrás de la cadeneta (4 puntos).

Vueltas 3 a 6: 1 punto bajo en todos los puntos de la vuelta anterior (4 puntos).

Cerrar tejido y dejar una hebra larga para coser a la pera.

Zanahorias

Esta graciosa idea de colgar de un tendal casero unas cuantas zanahorias dará un ambiente natural y simpático a la cocina. Todas las frutas y verduras que hemos hecho, además, pueden servir como juguete, convirtiéndose en deliciosas «comiditas» con las que los niños no pueden hacerse daño, muy realistas y que no venden en ninguna tienda del mundo.

ZANAHORIA

Trabajar en espiral. Al inicio de cada vuelta poner un marcador de puntos para que sea más fácil identificar el inicio y final y se cuenten mejor los puntos.

Usar color naranja

Vuelta 1: hacer un anillo mágico de 3 puntos bajos (3 puntos).

Vuelta 2: 1 aumento en todos los puntos bajos de la vuelta anterior (6 puntos).

Vuelta 3: 2 puntos bajos, 1 aumento. Repetir hasta el final de la vuelta (8 puntos).

Vuelta 4: 1 punto bajo en todos los puntos de la vuelta anterior (8 puntos).

Vuelta 5: 3 puntos bajos, 1 aumento. Repetir hasta el final de la vuelta (10 puntos).

Vuelta 6: 1 punto bajo en todos los puntos de la vuelta anterior (10 puntos).

Vuelta 7: 4 puntos bajos, 1 aumento. Repetir hasta el final de la vuelta (12 puntos).

Vuelta 8: 1 punto bajo en todos los puntos de la vuelta anterior (12 puntos).

Vuelta 9: 5 puntos bajos, 1 aumento. Repetir hasta el final de la vuelta (14 puntos).

Vuelta 10: 1 punto bajo en todos los puntos de la vuelta anterior (14 puntos).

Vuelta 11: 6 puntos bajos, 1 aumento. Repetir hasta el final de la vuelta (16 puntos).

Vueltas 12 a 24: 1 punto bajo en todos los puntos de la vuelta anterior (16 puntos).

Vuelta 25: 2 puntos bajos, 1 disminución. Repetir hasta el final de la vuelta (12 puntos).

Vuelta 26: 1 punto bajo, 1 disminución. Repetir hasta el final de la vuelta (8 puntos).

Vuelta 27: Hacer 4 disminuciones. Cerrar el tejido y perder la hebra sobrante.

Rellenar con algodón sintético y cerrar la pieza.

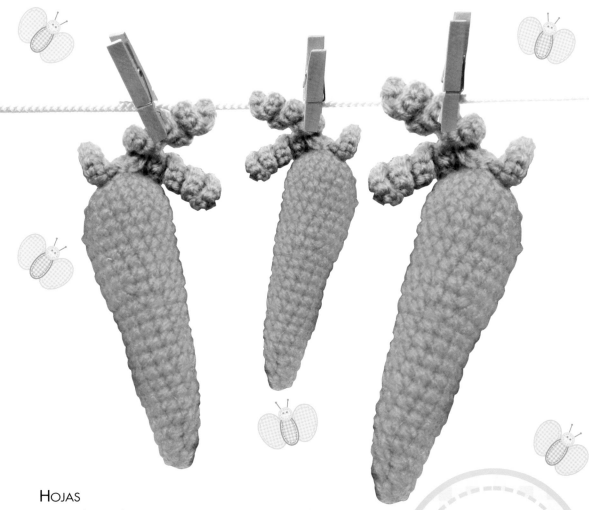

Hojas

Usar color verde

Vuelta 1: tejer 8 cadenetas.

Vuelta 2: 1 punto bajo en cada una de las cadenetas (8 puntos).

Vuelta 3: 1 aumento en los 12 puntos de la vuelta anterior (16 puntos).

Dejar una hebra y coser a la zanahoria.

Si queremos hacer el remate de esta fotografía, hay que enrollar lana verde en la juntura entre las hojas y la zanahoria, haciendo un rabito, aunque también podemos coser las hojas sin más.

Puede ser divertido atreverse a hacer zanahorias transgresoras en colores extraños, como el morado, el rosa o el azul.

Galería de proyectos

Ahora que ya sabemos hacer nuestros propios muñecos de amigurumi y hemos practicado lo suficiente, podemos aventurarnos con proyectos más difíciles. Desde aquí proponemos esta galería fotográfica de ideas para empezar una nueva etapa individualmente.

Ositos enamorados

Algunos amigurumis pueden ir emparejados. Este es un bonito regalo para San Valentín y una original figura para la tarta de boda.

La familia

Una vez creados los padres, podemos confeccionar todo tipo de ositos y sus vestidos.

Con mascota

Al igual que los complementos, tejer un pequeño amiguito otorga ternura y personalidad a cada pieza.

Presumida

Los apliques del vestido y los adornos de la cabeza son parte de su encanto.

Un monito muy simpático

Humanizar un animalito salvaje lo convierte en un amigo especial. Este monito que rompe las normas naturales con su llamativo color rosa, tiene el rostro de la simpatía.

La tortuguita

Añadir detalles como los ojos móviles pegados, es una forma de dar vida al amigurumi sin añadir trabajo al proceso.

Dragón de tres cabezas

El dragón de tres cabezas es una figura de bastante complejidad, pero también muy gracioso e irresistible. Hay que rellenar muy bien los cuellos para que permanezcan erguidos y añadir peso al cuerpo abajo (con relleno de legumbres) para que funcione como un tentetieso.

Pulpo móvil

Si rellenamos las patas con alambre envuelto en algodón podremos cambiarle la postura cuantas veces queramos.

Elefante mixto

Mezclar técnicas de costura con crochet es una buena idea que personaliza nuestros trabajos. Este elefante, cuyo cuerpo no se diferencia mucho de nuestros pollitos, añade un delicado patchwork con puntada de festón en las orejas y se permite la licencia de la larga trompa para anudarla y jugar con ella.

Mamá pata

Las familias de animales siempre resultan encantadoras. Si los hacemos pequeños, podrían formar parte de un Belén muy peculiar.

Patitos

No solo se distinguen por su tamaño, detalles como los gorritos de colores diferencian si son «niños» o «niñas» y los hacen más inocentes.

Perrito acordeón

La parte central del cuerpo de este perrito presenta un acordeón de colores que vamos a detallar:

Vuelta 1: hacer un anillo mágico de 6 puntos bajos (6 puntos).

Vuelta 2: 6 aumentos (12 puntos).

Vuelta 3: 1 punto bajo, 1 aumento. Repetir hasta el final de la vuelta (18 puntos).

Vuelta 4: 2 puntos bajos, 1 aumento. Repetir hasta el final de la vuelta (24 puntos).

Vuelta 5: 3 puntos bajos, 1 aumento. Repetir hasta el final de la vuelta (30 puntos).

Vuelta 6: 4 puntos bajos, 1 aumento. Repetir hasta el final de la vuelta (36 puntos).

Vuelta 7: 5 puntos bajos, 1 aumento. Repetir hasta el final de la vuelta (42 puntos).

Vuelta 8: 6 puntos bajos, 1 aumento. Repetir hasta el final de la vuelta (48 puntos).

Recortamos un cartón rígido con esa figura. Colocamos un círculo de crochet, el de cartón como relleno y el otro de crochet de su mismo color y cosemos con aguja lanera la costura. Insertamos todos los círculos con una hebra por el medio en este orden: amarillo, rojo, naranja, verde, azul, malva, morado, amarillo.

Conejo con ropa integrada
No siempre necesitamos tejer aparte la ropita
trabajando el doble. Una buena idea es cambiar
de colores al tejer, de manera que el jersey quede
integrado en el conjunto.

Índice de proyectos